Co za szycie

Poradnik szyciowy dla początkujących

Anna Maksymiuk-Szymańska

Projekt okładki, projekt graficzny i skład: Meri Wild

Ilustracje rozdziałowe: Mateusz Suda

Rysunki wewnątrz książki: Sylwia Lewandowska

Sesja zdjęciowa do rozdziału 6.: Linda Parys

Make-up: Roma Szafarek — Makijaż Od Kuchni

Fryzury: Katarzyna Kuźnik — Loft Fashion

Materiały wideo i montaż: Grzegorz Pawłowski

Grafiki do filmów: Marek Smolik, *threeofus.pl*

Wsparcie techniczne i merytoryczne: Beata Pływaczyk

Muzyka do intro: Konrad „Dynamid Disco" Leszczyński

Rysunki do książki wykonane na podstawie materiałów:
Elżbieta Stark, Zofia Lipke-Skrawek, *Techniki Szycia Odzieży* (s. 69 – 72)
Elżbieta Stark, Barbara Tymolewska, *Modelowanie Form Odzieży Damskiej* (s. 98 – 105)
Janome — na podstawie źródeł opracowanych przez Eti — Radość Szycia (s. 22, 26, 28)

Wydawnictwo HELION
ul. Kościuszki 1c, 44-100 GLIWICE
tel. 32 231 22 19, 32 230 98 63
e-mail: *septem@septem.pl*
WWW: *http://septem.pl* (księgarnia internetowa, katalog książek)

Drogi Czytelniku!
Jeżeli chcesz ocenić tę książkę, zajrzyj pod adres
http://septem.pl/user/opinie/cozasz
Możesz tam wpisać swoje uwagi, spostrzeżenia, recenzję.

ISBN: 978-83-283-1020-9

Printed in Poland.

Niech szycie stanie się Waszą pasją!

Spis treści

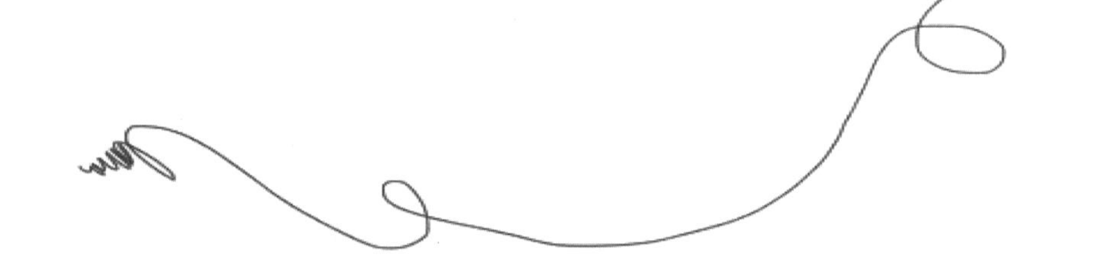

Wstęp

Mój sposób na... szycie!

Jeśli do tej pory nigdy nic nie uszyliście, nie skróciliście spodni i nie wiecie, co to overlock — ta książka jest właśnie dla Was. Jeśli macie w głowie mnóstwo pomysłów, kochacie modę i chcecie być oryginalni w tłumie ubranym w sieciówkach, trafiliście idealnie!

„Nie! To niemożliwe, przecież ja mam dwie lewe ręce i zero cierpliwości, to nie może się udać" — myślicie.

Nic bardziej błędnego. Uwierzcie — ja również miałam takie wątpliwości na początku mojej przygody z szyciem. Jak się jednak okazało — nie taka maszyna straszna! Posłuchajcie mojej historii i... zasiądźcie do maszyny!

Cztery lata temu, mimo wielu obaw, postanowiłam, że nauczę się szyć. Zawsze miałam w głowie świetne pomysły i wizje oryginalnych ubrań, natomiast to, co widziałam na sklepowych półkach, nie do końca odpowiadało moim oczekiwaniom. Strojom brakowało oryginalności, koloru, tego czegoś, co wyróżniałoby mnie z tłumu. Niestety, mnie z kolei brakowało wiary we własne siły. W końcu jednak postanowiłam spróbować. Poszłam do dwuletniej szkoły projektowania i... trochę się rozczarowałam. Chciałam szyć, poznawać wykroje, techniki, a musiałam tam głównie rysować, co początkowo wychodziło mi bardzo koślawo. Szybko jednak zdałam sobie sprawę z tego, że to jest właśnie ta właściwa droga, którą chciałabym iść, i zaczęłam szyć sama w domu. Kombinowałam, wycinałam, szyłam. Skracałam, obcinałam, podwijałam. Po trzech latach domowego szycia i kilkunastu zmarnowanych tkaninach założyłam na YouTube swój kanał pt. „Co za szycie", na którym zaczęłam dzielić się z Wami swoją wiedzą. Od początku zależało mi na stworzeniu fajnego, modnego miejsca w sieci, które zarazi Was pasją do szycia. Moje filmy z założenia są poradami dla amatorów. Specjalnie unikam zawiłych konstrukcji, upraszczam wykroje, tak aby każdy mógł sobie coś uszyć w domowych warunkach. I wiecie co? Najbardziej mnie denerwuje, gdy słyszę, że przecież szycie jest takie trudne i lepiej zostawić to profesjonalistom. W porządku! Zgadzam się — to prawda, jeśli mamy na myśli masową produkcję odzieży, ale gdy myślimy o nowej parze spodni, bluzie czy koszulce, to przecież nic nie stoi na przeszkodzie, aby zaszyć się w domu i coś sobie... uszyć. Aby walczyć z obawami i lękami początkujących,

postanowiłam napisać poradnik, który trzymacie w ręce.
Dużą rolę w decyzji o napisaniu książki odegrały e-maile, wiadomości i prośby, jakie od Was dostałam. Widziałam, że mój kanał stał się szyciową wyrocznią w wielu, i to nie tylko polskich domach — dlatego postanowiłam odważyć się po raz kolejny i stworzyć ten poradnik. To Wy daliście mi do tego motywację! Pamiętajcie — szyć każdy może, a czy lepiej, czy gorzej, to już inna sprawa. Na rynku nie ma zbyt wielu podręczników na temat szycia, a te, które można kupić, zazwyczaj kierowane są do pedagogów, uczniów techników odzieżowych i krawców. Mam nadzieję, że moja książka wypełni tę lukę i obudzi w Was nową pasję.

Co znajdziecie w książce?

Mój poradnik to skrócone i uproszczone porady szyciowe, które mimo braku znajomości zaawansowanych technik pozwolą Wam zasiąść do maszyny i samodzielnie wykreować modną bluzę, sukienkę, torbę czy spódniczkę.

Starałam się wytłumaczyć Wam krok po kroku, o co chodzi w szyciu, jak się do tego zabrać, jaką maszynę wybrać, gdzie szukać inspiracji, tkanin i przede wszystkim — jak zrobić wykrój. Książki na temat szycia pisane są zazwyczaj zawiłym językiem technicznym, mało zrozumiałym dla laika, dlatego postanowiłam, że moja książka będzie inna — przyjazna, prosta i sympatyczna. Dodatkowo nagrałam dla Was tutoriale wideo, które znajdziecie na płycie dołączonej do publikacji. Filmiki te pozwolą Wam lepiej zrozumieć to, o czym piszę, bo najlepiej jest przecież pokazać, jak coś zrobić. Dzięki temu bez problemu możecie uszyć coś razem ze mną. Odmowy nie przyjmuję!

Mam nadzieję, że ten poradnik pomoże Wam nauczyć się podstaw szycia, pokaże, jak stworzyć własne projekty, a przede wszystkim sprawi, że zakochacie się w szyciu tak jak ja i będziecie chcieli dalej zgłębiać ten temat. To co? Do maszyn!

Miłego szycia!

Ruda

Rozdział 1.
Wybieramy maszynę do szycia

Początek każdej przygody z szyciem zaczyna się od tego samego, czyli od maszyny! **Jaką wybrać, gdzie kupić, na co zwrócić uwagę?** Wątpliwości jest o wiele więcej i żeby je wszystkie rozwiać, warto poznać kilka wskazówek. Odpowiednia maszyna do szycia to połowa sukcesu. W końcu prędzej czy później będziecie musieli się z nią zaprzyjaźnić. Zaczynamy!

MASZYNA WIELOFUNKCYJNA

To podstawowa maszyna do szycia, która przyda się większości z Was. Im prostsza w obsłudze i mniej skomplikowana, tym lepiej. Niby to zrozumiałe, ale nadal pozostaje moment, w którym trzeba wybrać tę idealną. Często spotykam się z pytaniami, na co zwrócić uwagę, ile ściegów powinna mieć maszyna, gdzie ją kupić. Zazwyczaj nie chcecie też inwestować zbyt wiele na samym początku, bo nigdy nie wiadomo, jak potoczy się Wasza przygoda z szyciem. Najważniejsze, o czym zawsze przypominam, to rozsądek. Jeśli nie macie pewności, że szycie to wasza droga, i chcecie jedynie spróbować, skorzystajcie z gotowych rozwiązań, takich jak np. kawiarenki szyciowe, stara maszyna na strychu u babci, kursy szycia czy dobra koleżanka, która pożyczy na chwilę swój sprzęt.

Pierwszy kontakt z maszyną to najtrudniejszy test i jeśli uda Wam się uporać z ciągle zrywającą się nitką, pękającą igłą i krzywym ściegiem (zazwyczaj tak się dzieje) i dalej będziecie chcieli szyć, to znak, że warto pomyśleć o własnym cudeńku.

No dobrze, decyzja podjęta, udało się odłożyć trochę grosza — **kupujemy maszynę!** I teraz, przeglądając strony internetowe ze sprzętem, zastanawiacie się pewnie: **„Jak mam się w tym wszystkim odnaleźć, którą wybrać, co dla mnie będzie dobre?”.** No, to po kolei!

Na samym początku Waszej drogi wystarczy „zwykła” niezwykła maszyna wielofunkcyjna, która idealnie sprawdzi się w domu. To, na co musicie zwrócić uwagę, to nie tylko ilość programów i ściegów. Zazwyczaj przy nauce szycia używa się tylko dwóch, trzech ściegów i programów, ale dobrze jest pomyśleć o tym, co będzie za chwilę. Lepiej więc zainwestować więcej i kupić lepszą maszynę, która będzie rozwijała się razem z Waszymi umiejętnościami.

Czym w takim razie różnią się od siebie maszyny wielofunkcyjne i na którą postawić? Ja od trzech lat szyję na maszynach marki Janome. Swoją pierwszą, a był to overlock Janome 990D, dostałam od męża pod choinkę i została ze mną na dłużej. Piszę o tym nie bez powodu.

Chciałabym zrobić Wam przegląd maszyn właśnie na podstawie marki Janome, bo je znam, trochę już je testuję i szczerze mogę polecić. Przy wyborze maszyny do szycia kierujemy się kilkoma ważnymi aspektami. Warto więc wprowadzić sobie kilka podziałów i to właśnie nimi się kierować.

Pierwszy krok to Wasza własna lista *to do*, czyli wszystkie informacje na temat tego, co chcecie szyć, z jakich tkanin, jak często itd. Te informacje, na pozór banalne, pozwolą Wam lepiej dobrać maszynę. Teraz, kiedy Wasze oczekiwania są już sprecyzowane (przynajmniej w jakimś stopniu), możecie wybierać sprzęt.

Maszyny do szycia możemy podzielić na mechaniczne i komputerowe. Czym się różnią? Sprawdźcie sami.

LISTA TO DO

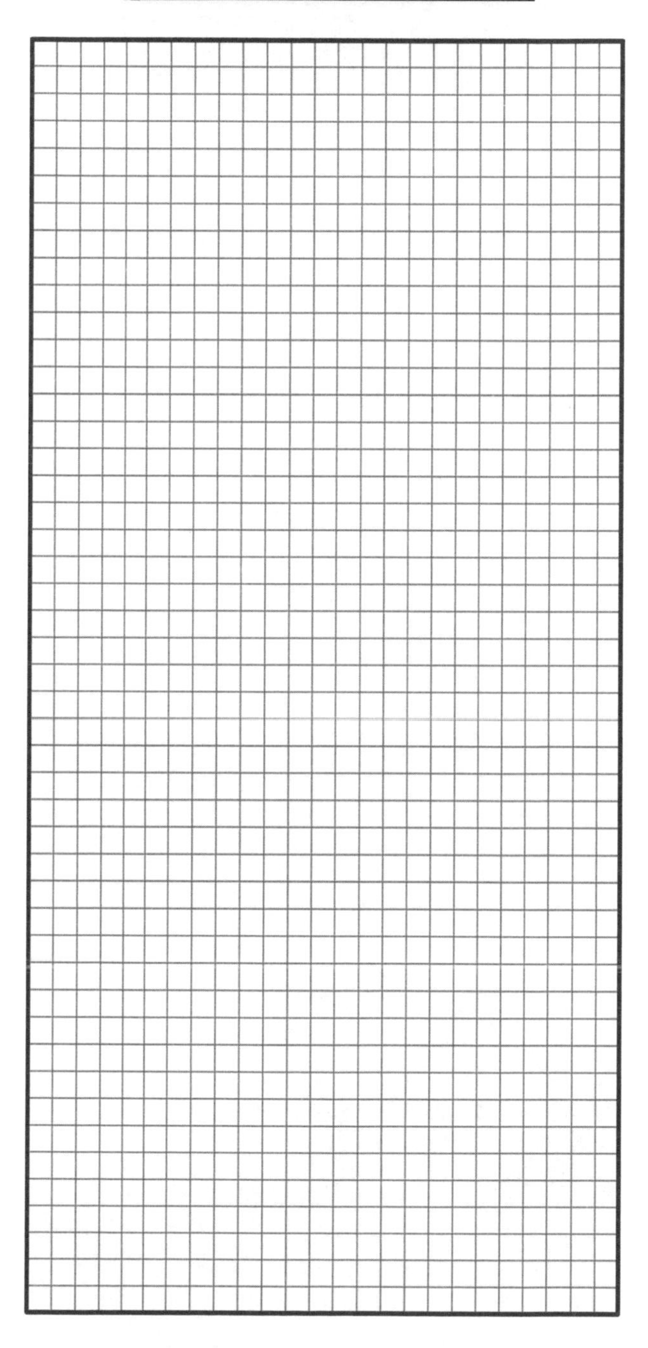

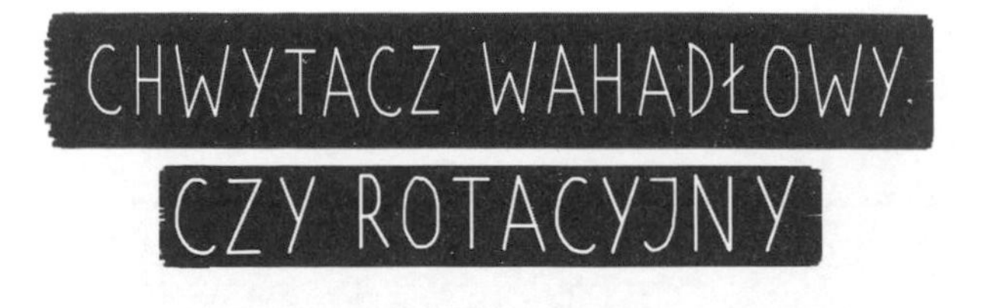

CHWYTACZ WAHADŁOWY CZY ROTACYJNY

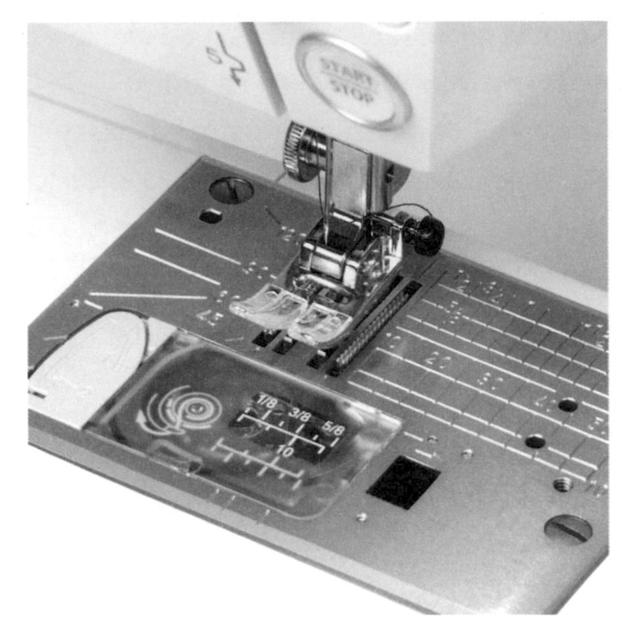

Maszyny mechaniczne mogą być wyposażone zarówno w chwytacz wahadłowy, jak i rotacyjny, natomiast maszyny komputerowe mają praktycznie zawsze chwytacz rotacyjny — wynalazek stosunkowo świeży, ale zdecydowanie dużo łatwiejszy w obsłudze.

Chwytacz wahadłowy — owija nić igły wokół siebie przy nawiniętej nitce dolnej, czyli w tę i z powrotem. Najczęściej spotykany jest w bardzo starych maszynach do szycia i w maszynach przemysłowych, tj. stebnówkach, które wykonują zazwyczaj jedną czynność. Chwytacz rotacyjny — owija pętelkę nici wokół nieruchomego bębenka, w którym znajduje się szpulka z nicią dolną, czyli wiązanie ściegu odbywa się podczas dwóch obrotów chwytacza wokół kosza bębenka. Najprościej mówiąc, taki chwytacz zbiera nitkę na okrągło. Stosowany jest we wszystkich nowych maszynach. Jeśli miałabym Wam zasugerować wybór, to faktycznie chwytacz rotacyjny należy określić jako zdecydowanie bardziej przyjazny i łatwiejszy w obsłudze, ale nie jest to element, który definiuje całe szycie. Dlatego bez względu na to, który wybierzecie, będzie dobrze.

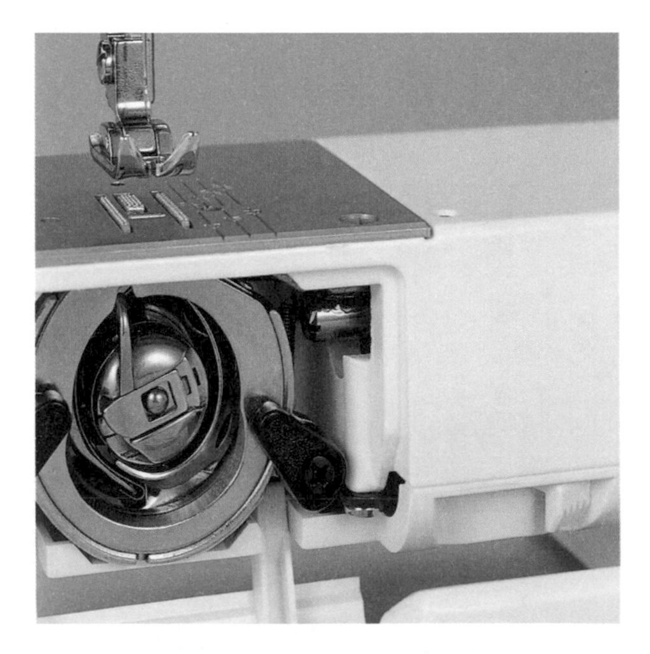

Jeśli jednak zapytacie o wybór między maszyną mechaniczną i komputerową ze względu na jakość szycia, to odpowiem, że osobiście zdecydowanie polecałabym maszynę komputerową.

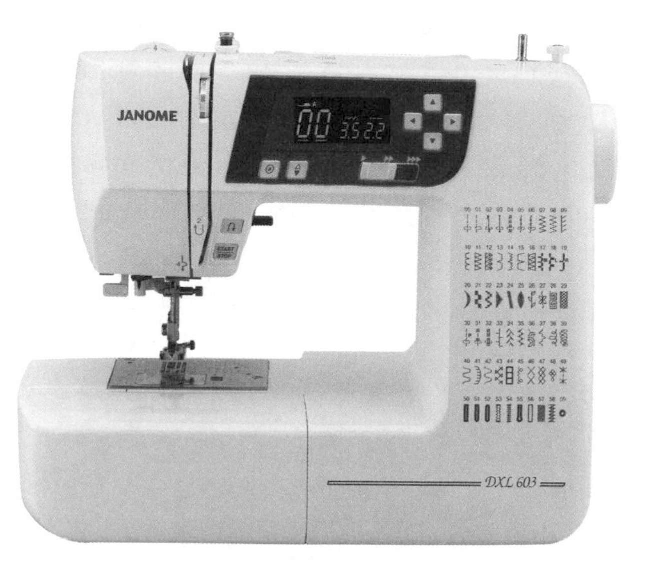

Maszyny mechaniczne uruchamia się i szyje za pomocą standardowego pedału, którym reguluje się również prędkość szycia, natomiast komputerowe można uruchamiać tradycyjnie lub za pomocą przycisku START/STOP.

To bardzo przydatna funkcja, która skraca czas pracy i niweluje problemy z wyczuciem pedału. Dodatkowo w maszynach komputerowych można precyzyjnie ustawić maksymalną prędkość, co przydaje się zwłaszcza osobom początkującym. **Problemy z szyciem podczas pierwszych prób obsługi maszyny przypominają nieco problemy, jakie miewają uczący się jazdy samochodem — „wyczucie" pedału sprzęgła w aucie bywa trudne. Tak jak pedału maszyny…** Po co więc sobie utrudniać, skoro istnieją maszyny komputerowe bez pedałów?

Jednak to nie do końca tak, że mechaniczne maszyny są całkiem „be”. Zdaję sobie sprawę z tego, że na początku drogi z szyciem nie każdy może sobie pozwolić od razu na maszynę komputerową, dlatego do nauki wystarczy też mechaniczna. Przyjrzyjmy się dalej innym parametrom.

Wybór ściegów w maszynach mechanicznych polega na ręcznym ustawieniu przeznaczonego do tego pokrętła, natomiast w komputerowych wciska się odpowiedni przycisk — i gotowe. Nie jest to jednak funkcja bardzo opóźniająca czy utrudniająca szycie. Zdecydowanie ważniejsza jest liczba ściegów i programów. Maszyny mechaniczne mają tych ściegów (programów) mniej, ale posiadają wszystkie podstawowe potrzebne do szycia w domu, także tego półprofesjonalnego. Główna różnica między maszynami mechanicznymi i komputerowymi polega na tym, że te drugie oprócz podstawowych ściegów posiadają też ściegi ozdobne, które z czasem bardzo się przydają.

Reguła jest prosta: Im wyższy model maszyny, tym więcej ściegów.

Pamiętaj jednak, że nie potrzebujesz ich wszystkich. Dobierz ściegi do tego, co szyjesz, bo i tak pewnie nie skorzystasz ze wszystkich.

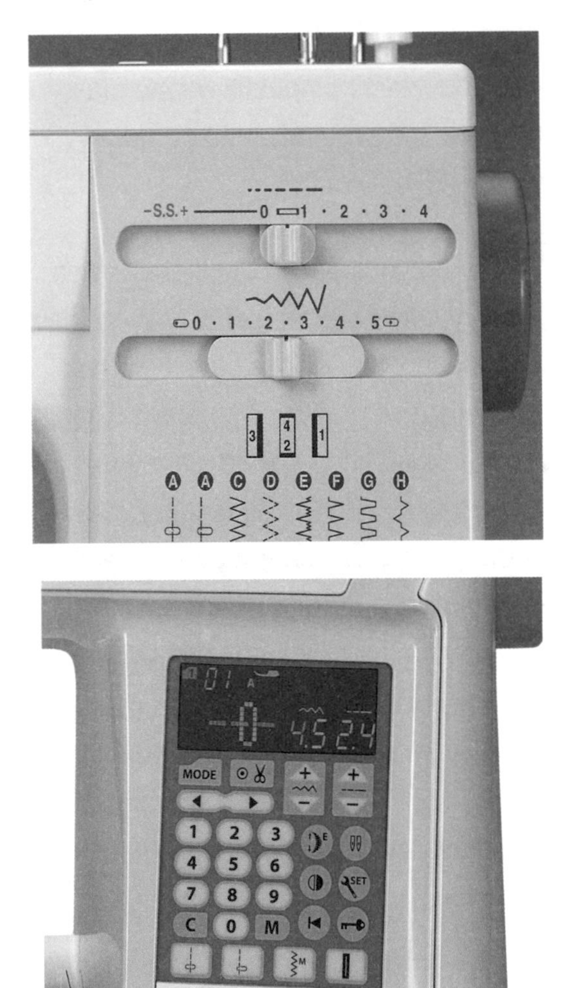

Szerokość i długość ściegów

Na początku ta funkcja może wydawać się Wam niepotrzebna, ale wierzcie mi — z czasem to będzie rarytas. Maszyny mechaniczne mają z reguły maksymalną szerokość ściegów wynoszącą 5 mm, natomiast maszyny komputerowe od 7 do 9 mm. Szerokość i długość ściegów przydaje się bardzo w szyciu ozdobnym, bo te wyglądają lepiej, gdy są właśnie szersze. Szerokość ściegów pozwala również na zastosowanie igły podwójnej — rozstaw igieł podwójnych to: 2, 4, 6 lub 8 mm. Jeśli chodzi o długość ściegów, maszyny mechaniczne i komputerowe mogą szyć ściegi o długości 4 lub 5 mm. Długość ściegu nie jest jednak aż tak ważna, jak jego szerokość.

Pozycjonowanie igły

Maszyny mechaniczne zatrzymują się w momencie, kiedy przestaniemy naciskać na pedał. Nie wiemy zatem, w jakiej dokładnie pozycji będzie igła, gdy maszyna się zatrzyma.

W maszynach komputerowych możemy zdefiniować to, czy po zatrzymaniu maszyny igła ma zostać w pozycji dolnej (wbita w materiał), czy też ma być na górze. To bardzo przydatna funkcja zwłaszcza wtedy, gdy chcemy zmienić kierunek szycia bez gubienia ściegu.

Ryglowanie

Maszyny mechaniczne nie mają automatycznego ryglowania (zakańczania ściegów). Można to zrobić manualnie — szyjąc do przodu i do tyłu. Maszyny komputerowe z reguły posiadają automatyczne ryglowanie (wystarczy nacisnąć przycisk i maszyna sama wykona rygiel, czyli zakończy szycie, zawiązując nici).

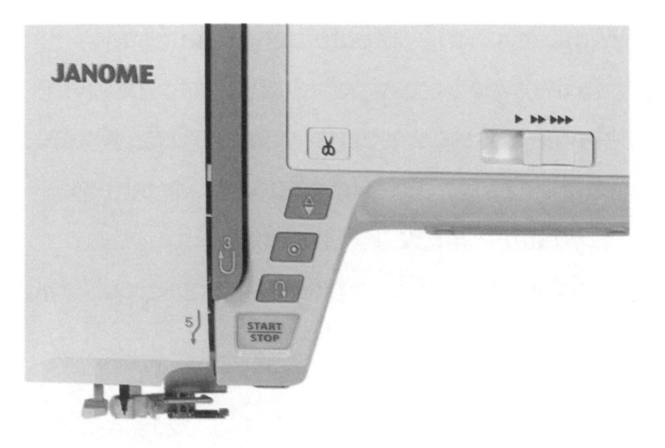

Regulowany docisk stopki

Tutaj muszę się na chwilę zatrzymać i zwrócić Waszą uwagę na docisk stopki. Jest to bardzo ważna funkcja, przydatna zwłaszcza przy delikatnych lub bardzo grubych materiałach. Docisk stopki i to, jak później prowadzony jest materiał, podnosi jakość szycia i sprawia, że ścieg jest prosty, materiał nie ucieka spod igły, a Wy nie musicie się denerwować.

Automatyczne (lub manualne) obcinanie nici

Muszę przyznać, że to jedna z moich ulubionych funkcji. W maszynach komputerowych po zakończeniu szycia wystarczy nacisnąć przycisk obcinania nici — i gotowe. W maszynach mechanicznych musimy to

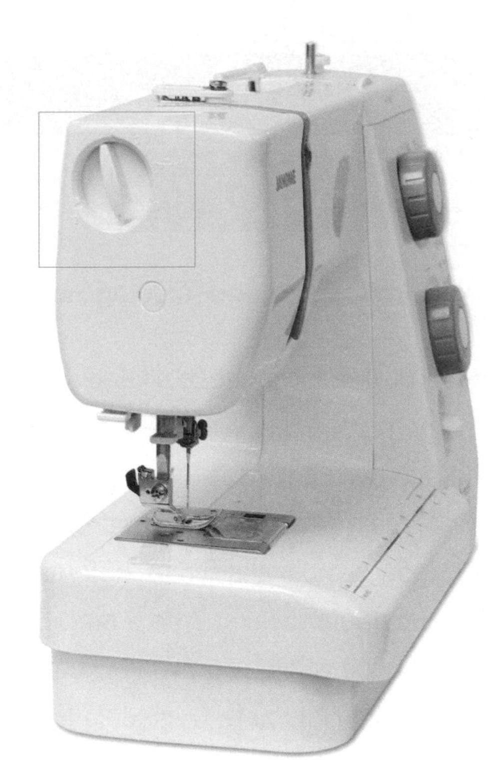

niestety zrobić ręcznie. Nie jest to czynność, która bardzo utrudnia szycie, czy też ogólniej pracę na maszynie, ale posiadanie tej funkcji zdecydowanie wszystko przyspiesza.

Budowa transportera (ząbków)

Maszyny mechaniczne posiadają mniej ząbków transportujących materiał niż maszyny komputerowe. Wpływa to na płynność podawania materiału oraz na precyzję szycia. Transporter w maszynach mechanicznych ma 4 – 5 ząbków, a w komputerowych zazwyczaj 7 ząbków.

Automatyczny nawlekacz

Dziś prawie wszystkie modele maszyn mechanicznych i komputerowych posiadają automatyczny nawlekacz igły. Tylko modele naprawdę podstawowe nie mają tego rozwiązania. Oczywiście o wiele łatwiej jest nawlec igłę z wbudowanym nawlekaczem, niż gdy go nie ma.

Automatyczne obszywanie dziurek

Najniższe modele maszyn mechanicznych posiadają funkcję półautomatycznego obszywania dziurki, wyższe modele dysponują automatem, który obszywa dziurkę w jednym cyklu. Maszyny komputerowe posiadają dokładnie te same mechanizmy, ale oprócz tego mają możliwość obszywania dziurek za pomocą kilkunastu wzorów (np. z oczkiem, bieliźniana, zaokrąglona itp.).

Wbudowana pamięć kombinacji ściegów, tekstów

Kolejna funkcja, zarezerwowana dla zaawansowanych maszyn komputerowych, to pamięć kombinacji ściegów (odcinków), wyrazów (imion), a nawet zdań. Bardzo łatwo i szybko można odtworzyć wcześniej zapisane kombinacje i od razu je szyć (zawsze wyglądają tak

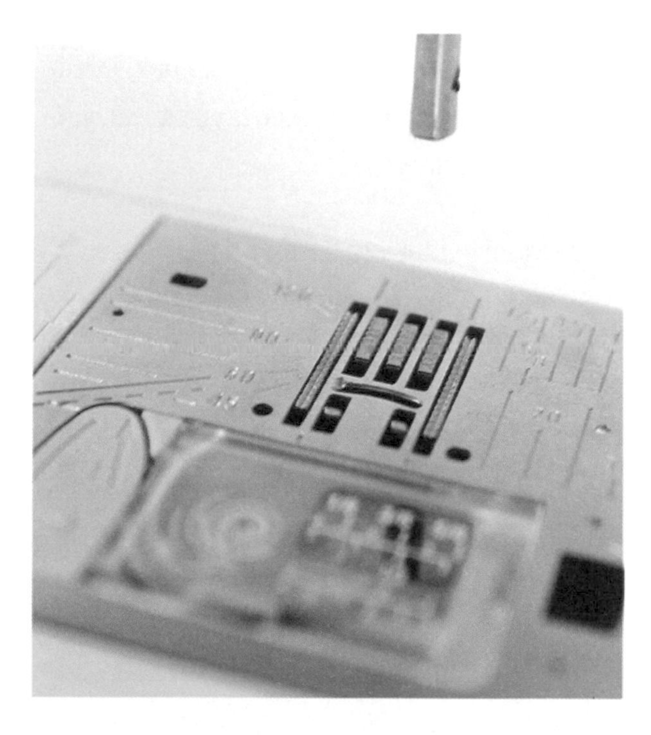

samo, co jest szczególnie ważne, gdy szyjemy coś powtarzalnego). Teraz, kiedy już omówiliśmy podział sprzętu szyjącego według posiadanych funkcji, możemy bliżej przyjrzeć się poszczególnym modelom maszyn, zarówno mechanicznych, jak i komputerowych.

Najmłodsza w rodzinie JUNO E1015 by JANOME to propozycja dla osób, które nigdy wcześniej nie miały styczności z maszyną do szycia, nie wiedzą, czym jest bębenek, gdzie mają włożyć igłę. Muszą nauczyć się wszystkiego od podstaw.

Tutaj właśnie idealnie sprawdzi się prosta w obsłudze, bardzo intuicyjna i cicha maszyna, która posiada:

- 15 programów ściegowych, w tym półautomatyczne obszywanie dziurek,
- płynną regulację długości ściegów,
- płynną regulację szerokości zygzaka,
- wolne ramię, zapewniające łatwe szycie na okrągło (nogawka, rękaw),

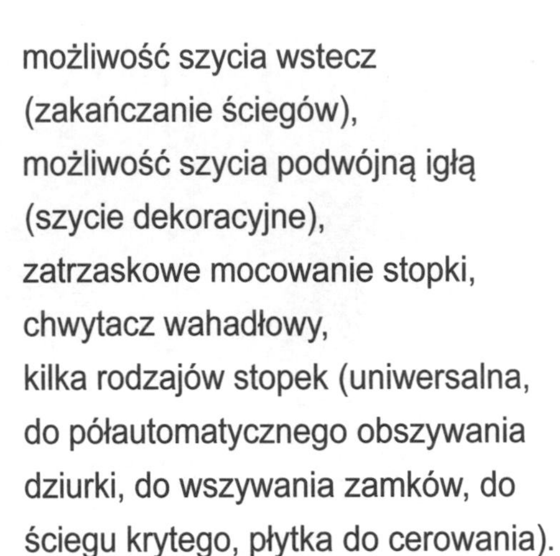

- możliwość szycia wstecz (zakańczanie ściegów),
- możliwość szycia podwójną igłą (szycie dekoracyjne),
- zatrzaskowe mocowanie stopki,
- chwytacz wahadłowy,
- kilka rodzajów stopek (uniwersalna, do półautomatycznego obszywania dziurki, do wszywania zamków, do ściegu krytego, płytka do cerowania).

Osobom, które „nie boją" się już maszyny do szycia, które stworzyły kilka swoich prototypów z prześcieradeł albo tkanin i coraz lepiej idzie im szycie, proponuję JUNO E1019 by JANOME. To lepsza i bardziej udoskonalona wersja poprzedniczki.

Ta wersja posiada:

- 19 programów ściegowych,
- półautomatyczne obszywanie dziurek,
- płynną regulację długości ściegów,
- płynną regulację szerokości ściegów,
- wolne ramię, zapewniające łatwe szycie na okrągło (nogawka, rękaw),
- możliwość szycia wstecz (zakańczanie ściegów),
- wyłączany transport,
- wbudowany zewnętrzny obcinacz nitek,
- wbudowany nawlekacz igły,
- zatrzaskowe mocowanie stopki,
- chwytacz rotacyjny,
- kilka rodzajów stopek (uniwersalna, do półautomatycznego obszywania dziurki, do wszywania zamków, do ściegu krytego, płytka do cerowania).

Różnica między tymi dwoma modelami polega na tym, że drugi model posiada o 4 programy więcej oraz ma wbudowany zewnętrzny obcinacz nitek, który bardzo ułatwia i przyspiesza pracę, jak również wbudowany nawlekacz igły, dzięki któremu sprawniej i szybciej zmieniamy czy nawlekamy nitkę na szpulkę. W drugiej maszynie mamy też dużo lepszy chwytacz rotacyjny, który jest łatwiejszy w obsłudze.

Kolejne modele Janome z tej półki różnią się jedynie ilością ściegów i tutaj decyzja należy do Was. Im więcej ściegów, tym lepiej, bo nigdy nie wiadomo, kiedy będą nam potrzebne. Zobaczcie porównanie maszyn mechanicznych marki Janome.

Model maszyny / Funkcje	Janome Sew Mini	Juno by Janome E1015	Juno by Janome E1019	Janome 920	Janome 415	Janome Jubilee 60507	Janome 393	Janome 423S	Janome 525S
Ilość programów ściegowych	10	15	19	12	17	19	23	25	25
Regulacja długości ściegów	-	tak - do 4 mm	tak - do 4 mm	tak - do 4 mm	tak - do 4 mm	tak - do 4 mm	tak - do 4 mm	tak - do 4 mm	tak - do 4 mm
Regulacja szerokości ściegów	-	regulacja szerokości zyg-zaka	tak - do 5 mm	tak - do 5 mm	tak - do 5 mm	tak - do 5 mm	tak - do 5 mm	tak - do 5 mm	tak - do 5 mm
Obszywanie dziurki	-	półautomatyczne	półautomatyczne	automatyczne	półautomatyczne	półautomatyczne	automatyczne	automatyczne	automatyczne
Ilość dziurek	-	1 rodzaj	1 rodzaj	1 rodzaj	1 rodzaj	1 rodzaj	1 rodzaj	1 rodzaj	1 rodzaj
Przycisk START/ STOP	-	-	-	-	-	-	-	-	-
Automatyczne ryglowanie	-	-	-	-	-	-	-	-	-
Automatyczne obcinanie nici	-	-	-	-	-	-	-	-	-
Pozycjonowanie igły	-	-	-	-	-	-	-	-	-
Wolne ramię - szycie na okrągło (nogawka, rękaw)	tak	tak	tak	tak	tak	tak	-	tak	tak
Długość wolnego ramienie (od igielnicy)	4 cm	8,5 cm	8 cm	8,5 cm	10,5 cm	6,5 cm	-	10,5 cm	6,5 cm
Możliwość szycia podwójną igłą	-	tak	tak	tak	tak	tak	tak	tak	tak
Regulowany docisk stopki	-	-	-	-	-	tak - 4 pozycje	tak - płynny	tak - 4 pozycje	tak - 4 pozycje
Możliwość szycia wstecz	tak	tak	tak	tak	tak	tak	tak	tak	tak
Nawlekacz igły	-	-	tak	tak	tak	tak	-	tak	tak
Wyłączany transporter	-	-	tak	tak	tak	tak	tak	tak	tak
Mechanizm transportu	4 - stopniowy	3 - stopniowy	4 - stopniowy	3 - stopniowy	3 - stopniowy	4 - stopniowy	3 - stopniowy	3 - stopniowy	4 - stopniowy
Wbudowany alfabet (duże, małe litery i znaki specjalne)	-	-	-	-	-	-	-	-	-
Wydłużanie ściegów ozdobnych	-	-	-	-	-	-	-	-	-
Programowanie ściegów	-	-	-	-	-	-	-	-	-
Zatrzaskowe mocowanie stopek - SYSTEM MATIC	-	tak	tak	tak	tak	tak	tak	tak	tak
Rodzaj chwytacza	rotacyjny	wahadłowy	rotacyjny	wahadłowy	wahadłowy	rotacyjny	wahadłowy	wahadłowy	rotacyjny

Podsumowanie

Wybierając maszynę mechaniczną, zwróć uwagę nie tylko na podstawowe elementy i akcesoria, które są w każdym zestawie, ale również na:

- √ liczbę ściegów: im więcej, tym lepiej,
- √ chwytacz rotacyjny (wahadłowy nie jest zły, ale można wybrać ten lepszy,
- √ opcję szycia wstecz,
- √ wbudowany zewnętrzny obcinacz nitek,
- √ wbudowany nawlekacz igły.

Jeśli zdecydowaliście się od razu kupić maszynę komputerową, to popatrzcie, jakie są różnice między poszczególnymi modelami. JANOME XL601 to nowoczesna komputerowa maszyna do szycia, zarówno dla początkujących amatorów szycia, jak i dla zaawansowanych krawców, która posiada:

- √ 30 programów ściegowych (w tym m.in. ścieg overlockowy i kryty),
- √ 4 rodzaje automatycznego obszywania dziurek,

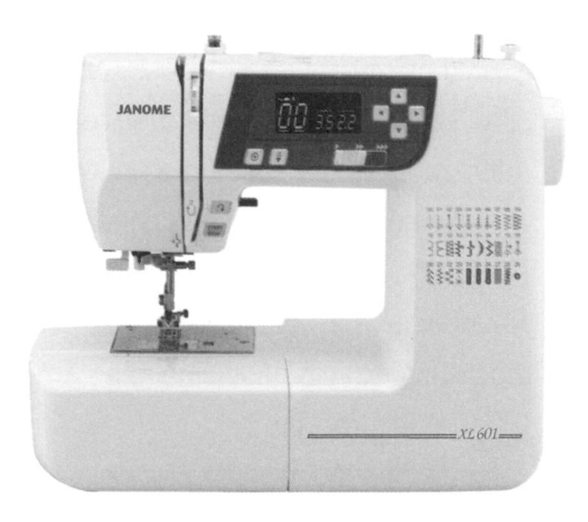

- √ płynną regulację długości ściegu (maks. 5 mm),
- √ płynną regulację szerokości ściegów (maks. 7 mm),
- √ duży, czytelny wyświetlacz LCD, który informuje o wybranym ściegu, jego długości i szerokości oraz podpowiada, jaką stopkę zastosować,
- √ precyzyjną regulację prędkości szycia,
- √ przycisk START/STOP (możliwość szycia bez rozrusznika nożnego),
- √ automatyczne ryglowanie,
- √ pozycjonowanie igły (góra/dół),
- √ wolne ramię, które zapewnia łatwe szycie na okrągło (nogawka, rękaw),
- √ możliwość szycia wstecz (zakańczanie ściegów),
- √ wyłączany transport,
- √ 7-stopniowy mechanizm transportu

(dzięki niemu zawsze możesz rozpocząć szycie od samego brzegu materiału, zachowując absolutną precyzję),

- √ wbudowany zewnętrzny obcinacz nitek,
- √ wbudowany nawlekacz igły,
- √ możliwość szycia podwójną igłą (szycie dekoracyjne),
- √ zatrzaskowe mocowanie stopek — SYSTEM MATIC,
- √ chwytacz rotacyjny,
- √ zestaw stopek (uniwersalna, do wszywania zamków, do ściegu overlockowego, do naszywania aplikacji i ściegów ozdobnych, do automatycznego obszywania dziurki, do ściegu krytego).

Dodatkowo: miękki pokrowiec, 4 szpulki, zestaw igieł, pędzelek, rozpruwacz, dodatkowy trzpień na szpulkę, wkrętak, uchwyt zabezpieczający szpulkę (duży i mały), filc pod szpulkę.

Dla porównania maszyna JANOME DXL603 (model nowszy od poprzedniczki) posiada:

- √ 60 programów ściegowych (w tym ścieg overlockowy i kryty),
- √ 8 rodzajów automatycznego obszywania dziurek,
- √ płynną regulację długości ściegu (maks. 5 mm),
- √ płynną regulację szerokości ściegów (maks. 7 mm),
- √ duży, czytelny wyświetlacz LCD, który informuje o wybranym ściegu, jego długości i szerokości oraz podpowida, jaką stopkę zastosować,
- √ precyzyjną regulację prędkości szycia,
- √ przycisk START/STOP (możliwość szycia bez rozrusznika nożnego),
- √ automatyczne ryglowanie,
- √ pozycjonowanie igły (góra/dół),
- √ wolne ramię, zapewniające łatwe szycie na okrągło (nogawka, rękaw),
- √ regulowany docisk stopki (6 pozycji),
- √ możliwość szycia wstecz (zakańczanie ściegów),
- √ wyłączany transport,
- √ 7-stopniowy mechanizm transportu (dzięki niemu zawsze możesz rozpocząć szycie od samego brzegu materiału, zachowując absolutną precyzję),
- √ wbudowany zewnętrzny obcinacz nitek,
- √ wbudowany nawlekacz igły,
- √ możliwość szycia podwójną igłą (szycie dekoracyjne),
- √ zatrzaskowe mocowanie stopek — SYSTEM MATIC,

- chwytacz rotacyjny,
- zestaw stopek (uniwersalna, do wszywania zamków, do ściegu overlockowego, do naszywania aplikacji i ściegów ozdobnych, do automatycznego obszywania dziurki, do ściegu krytego).

Dodatkowo: miękki pokrowiec, 4 szpulki, zestaw igieł, pędzelek, rozpruwacz, dodatkowy trzpień na szpulkę, wkrętak, uchwyt zabezpieczający szpulkę (duży i mały), filc pod szpulkę.

Są trzy podstawowe różnice między tymi dwoma modelami:

- Liczba programów — maszyna XL601 ma 30, natomiast DXL603 ma 60 programów.
- Liczba rodzajów automatycznego obszywania dziurek — z 4 wskakujemy na 8.
- Cena — różnica w cenie to 150 zł, więc chyba nie macie problemu z wyborem.

Porównanie maszyn mechanicznych marki Janome na następnej stronie.

Podsumowanie

Wybierając maszynę komputerową, zwróć uwagę nie tylko na podstawowe elementy i akcesoria, które są w każdym zestawie, ale również na:

- liczbę programów ściegowych
- ściegi dodatkowe
- rodzaje automatycznego obszywania dziurek.

Wszystkie inne potrzebne funkcje, które Wam wcześniej opisywałam, maszyny komputerowe mają, ale nie zaszkodzi, jeśli przed zakupem je sprawdzicie.

Model maszyny / Funkcje	Janome XL601	Janome DXL603	Janome QXL605	Janome 5060DC	Janome TXL607	Janome DC7100	Janome Skyline S5	Janome MC6600P	Janome MC8200QC	Janome MC8900QCP
Ilość programów ściegowych	30	60	60	60	412	100	496	404	349	929
Regulacja długości ściegów	tak - do 5 mm	tak - do 5 mm	tak - do 5 mm	tak - do 5 mm	tak - do 5 mm	tak - do 5 mm	tak - do 5 mm	tak - do 5 mm	tak - do 5 mm	tak - do 5 mm
Regulacja szerokości ściegów	tak - do 7 mm	tak - do 7 mm	tak - do 7 mm	tak - do 7 mm	tak - do 7 mm	tak - do 7 mm	tak - do 9 mm	tak - do 7 mm	tak - do 9 mm	tak - do 9 mm
Obszywanie dziurki	automatyczne	automatyczne	automatyczne	automatyczne	automatyczne	automatyczne	automatyczne	automatyczne	automatyczne	automatyczne
Ilość dziurek	4 rodzaje	8 rodzajów	8 rodzajów	7 rodzajów	8 rodzajów	7 rodzajów	11 rodzajów	7 rodzajów	7 rodzajów	11 rodzajów
Przycisk START/ STOP	tak	tak	tak	tak	tak	tak	tak	tak	tak	tak
Automatyczne ryglowanie	tak	tak	tak	tak	tak	tak	tak	tak	tak	tak
Automatyczne obcinanie nici	tak	tak	tak	tak	tak	tak	tak	tak	tak	tak
Pozycjonowanie igły	tak	tak	tak	tak	tak	tak	tak	tak	tak	tak
Wolne ramię - szycie na okrągło (nogawka, rękaw)	tak	tak	tak	tak	tak	tak	tak	-	tak	tak
Długość wolnego ramienia (od igielnicy)	9 cm	9 cm	9 cm	9 cm	9 cm	9 cm	10 cm	-	15 cm	15 cm
Możliwość szycia podwójną igłą	tak	tak	tak	tak	tak	tak	tak	tak	tak	tak
Regulowany docisk stopki	-	tak - 6 pozycji	tak - 6 pozycji	tak - 6 pozycji	tak - 6 pozycji	tak - 6 pozycji	tak - 7 pozycji	tak - płynny	tak - 7 pozycji	tak - 7 pozycji
Możliwość szycia wstecz	tak	tak	tak	tak	tak	tak	tak	tak	tak	tak
Nawlekacz igły	tak	tak	tak	tak	tak	tak	tak	tak	tak	tak
Wyłączany transporter	tak	tak	tak	tak	tak	tak	tak	tak	tak	tak
Mechanizm transportu	7 - stopniowy	7 - stopniowy	7 - stopniowy	7 - stopniowy	7 - stopniowy	7 - stopniowy	7 - stopniowy	7 - stopniowy dodatkowo wybudowany górny transport	7 - stopniowy	7 - stopniowy
Wbudowany alfabet (duże, małe litery i znaki specjalne)	-	-	-	-	tak - 1 rodzaj	-	tak - 1 rodzaj	tak - 2 rodzaje	tak - 1 rodzaj	tak - 3 rodzaje
Wydłużanie ściegów ozdobnych	-	-	-	-	-	tak	tak	tak	tak	tak
Programowanie ściegów	-	-	-	-	tak	-	tak	tak	tak	tak
Zatrzaskowe mocowanie stopek - SYSTEM MATIC	tak	tak	tak	tak	tak	tak	tak	tak	tak	tak
Rodzaj chwytacza	rotacyjny	rotacyjny	rotacyjny	rotacyjny	rotacyjny	rotacyjny	rotacyjny	rotacyjny	rotacyjny	rotacyjny

Moim zdaniem maszyny, które mogą Wam się przydać zarówno na początkowym etapie, jak i w późniejszym szyciu, to zdecydowanie overlock i coverlock. Pierwsza z nich na samym początku jest bardzo dużym ułatwieniem i pomocą w szyciu, natomiast druga służy do krawiectwa bardziej specjalistycznego.

Czym jest overlock?

W wielkim skrócie: overlock to maszyna, która zszywa (np. boki) trzy-, cztero- lub pięcionitkowym ściegiem łańcuszkowym. Zazwyczaj overlock używany jest do obrzucania brzegów tkaniny, ale można go również używać do szycia. Jest idealny do dzianin dzięki temu, że ma elastyczny ścieg. Różnica między tą maszyną a ścleglem overlockowym w maszynie wielofunkcyjnej jest bardzo duża. Często pytacie mnie o to, czy ścieg zygzak lub w wyższych modelach ścieg overlockowy może zastąpić taką maszynę. Moja odpowiedź brzmi: NIE. Owszem, jest to pewna alternatywa, która może być warunkowym, czasowym rozwiązaniem, ale maszyny wielofunkcyjne szyją standardowo dwiema nitkami, a jak napisałam wyżej, overlock ma 3, 4 lub 5 nitek. Jeśli szyjecie w domowych warunkach tylko dla siebie i nie myślicie np. o sprzedaży swoich dzieł, to wystarczy Wam ścieg wbudowany w maszynie wielofunkcyjnej.

Jeśli jednak planujecie rozszerzyć swoją pasję i szyć komercyjnie, overlock jest niezbędny. W końcu, gdyby można było godnie go zastąpić, to twórcy maszyn nie tworzyliby overlocków.

Poza technicznymi aspektami jest jeszcze jeden — funkcjonalny. Posiadanie overlocka przyspiesza i ułatwia szycie oraz sprawia, że jest ono bardziej profesjonalne i estetyczne.

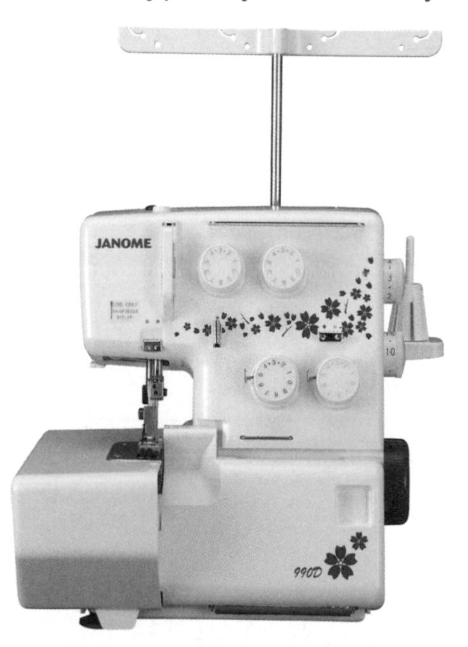

Model / Funkcje	Janome 204D/990D	Janome 744D	Janome 1000CPX	Janome 1200D
Ilość nici / igie	3 - 4 nitkowy	2 - 3 - 4 nitkowy	1 - 2 - 3 igłowy	3 - 4 - 5 nitkowy 1 - 2 - 3 igłowy
Dostępne ściegi	- 3 nitkowy owerlokowy - 4 nitkowy owerlokowy - ścieg rolujący	- 2 nitkowy owerlokowy - 3 nitkowy owerlokowy - 4 nitkowy owerlokowy - ścieg rolujący	- 3 igłowy drabinkowy - 6 mm - 2 igłowy drabinkowy - 3 mm i 6 mm - 1 igłowy łańcuszkowy	- 3 nitkowy owerlokowy - 4 nitkowy owerlokowy - 5 nitkowy owerlokowy - ścieg rolujący - 3 igłowy drabinkowy - 2 igłowy drabinkowy - 1 igłowy łańcuszkowy - ścieg drabinkowy z przeplotem
Płynna regulacja długości ściegu	tak - do 1 mm do 4 mm	tak - od 1 mm do 5 mm	tak - do 1 mm do 4 mm	tak - od 0.5 mm do 5 mm
Płynna regulacja szerokości ściegu	tak - od 2 mm do 5.7 mm	tak - od 2 mm do 7.5 mm	-	tak - od 2.5 mm do 5.0 mm
Regulowany docisk stopki	tak	tak	tak	tak
Łatwo dostępny ścieg rolujący	tak	tak	-	tak
Regulacja transportu różnicowego	tak - do 0.7 mm do 2 mm	tak - od 0.5 mm do 2.2 mm	tak - od 0.5 mm do 2.5 mm	tak - od 0.5 mm do 2.0 mm
Regulacja szerokości cięcia szytego materiału	tak - od 3 mm do 5 mm	tak - od 2 mm do 5 mm	-	tak - od 3.5 mm do 7.5 mm
Barwny system nawlekania nici	tak	tak	tak	tak
Wolne ramię	-	tak	tak	-
Łatwe włączanie i wyłączanie noża	tak	tak	-	tak
Proste przejście z ściegów owerlokowych do drabinkowych	-	-	-	tak
Wbudowane urządzenie do wzmacniania szwów	-	-	-	tak
Pojemnik na ścinki	-	tak	-	tak
Zatrzaskowe mocowanie stopek	tak	tak	tak	tak
Maksymalna prędkość szycia	1300 wkłuć na minutę	1300 wkłuć na minutę	1000 wkłuć na minutę	1300 wkłuć na minutę

Czym jest coverlock?

Coverlock pięcionitkowy to połączenie overlocka z maszyną drabinkową, która daje możliwość między innymi wykańczania dołów, rękawów czy dekoltów. Chodzi tu głównie o dzianiny. Wystarczy, że popatrzycie na swoją zwykłą koszulkę z długim rękawem. Zerknijcie, jak jest wykończony dół. Coverlock podwija i od razu stebnuje nasze dzieło, dzięki czemu nie musimy najpierw obrzucać dołu na overlocku, a następnie stebnować. Tutaj mamy te dwie funkcje połączone.

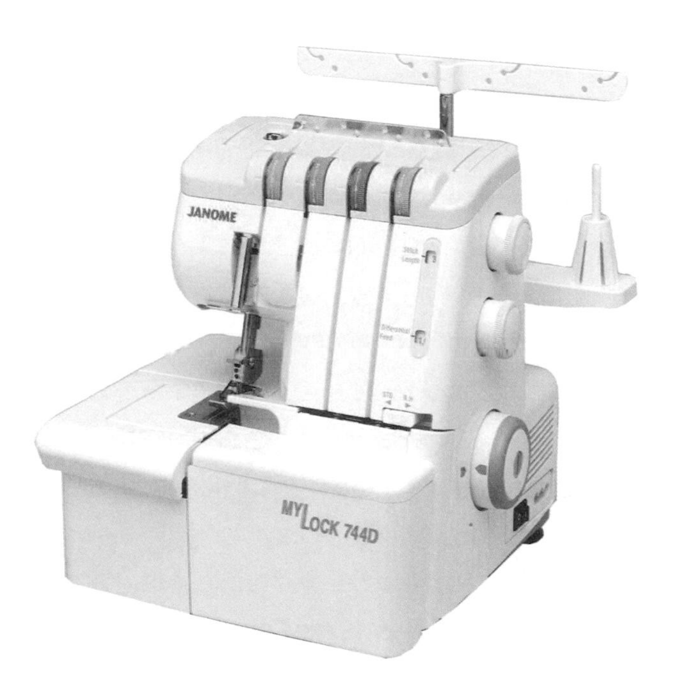

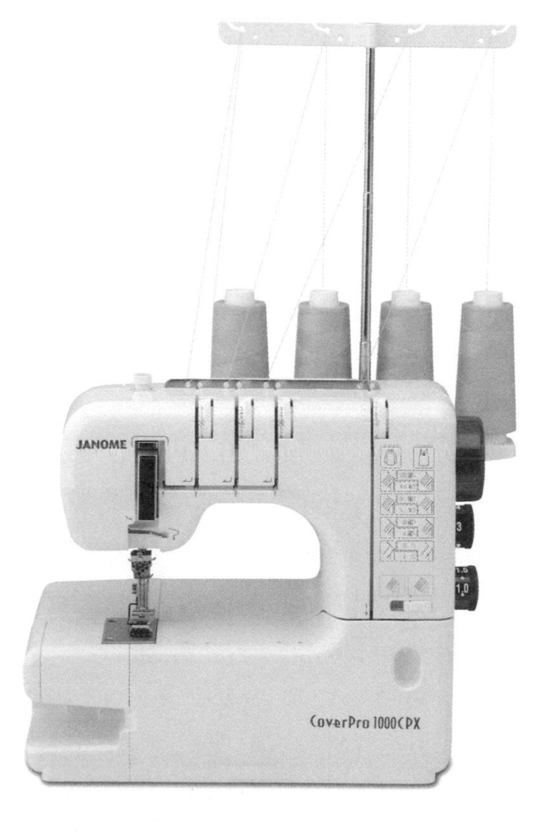

MASZYNY SPECJALISTYCZNE

Bardziej profesjonalne, specjalistyczne maszyny nie są potrzebne do domowego szycia. Mogą się przydać dopiero wtedy, gdy już będziecie umieli dobrze szyć i zamarzy Wam się np. własna kolekcja haftów, butik lub pracownia krawiecka. W tej grupie można wymienić na przykład maszyny przemysłowe, maszyny do filcowania, hafciarki. Nie będę ich opisywać, bo to wyższa szkoła jazdy, a miało być o sprzęcie dla początkujących. Jeśli jednak chcecie więcej o nich poczytać, to odsyłam Was na stronę *www.eti.com.pl.* Tam znajdziecie wszystkie potrzebne informacje.

Pisząc tę książkę, chciałam przekazać Wam swoją wiedzę w prosty sposób, tak aby uniknąć sztampowych, technicznych opisów. Jednak wybór maszyny do szycia to jedna z najważniejszych rzeczy, jakich musicie dokonać, zaczynając swoją przygodę z szyciem, konieczne jest więc poznanie terminologii. Jeśli na tym etapie coś było niezrozumiałe, to odsyłam Was oczywiście do słowniczka na końcu książki. Tam umieściłam podstawowe pojęcia związane z szyciem.

Jeśli chodzi o aspekt wizualny maszyn do szycia, to moja rada jest jedna: nie dajcie się zwieść pięknym, kolorowym maszynom, które zazwyczaj wyglądają ładnie tylko z zewnątrz. Tutaj liczy się zawartość!. Ja mówię na to: „piękno ukryte”.

To co? Mam nadzieję, że maszyna do szycia jest już wybrana… bo jest, prawda? Teraz możemy nauczyć się jej obsługi, co wcale nie jest takie trudne, jak by się wydawało. A więc do dzieła!

...wybór maszyny do szycia to jedna z najważniejszych rzeczy, jakich musicie dokonać, zaczynając swoją przygodę z szyciem...

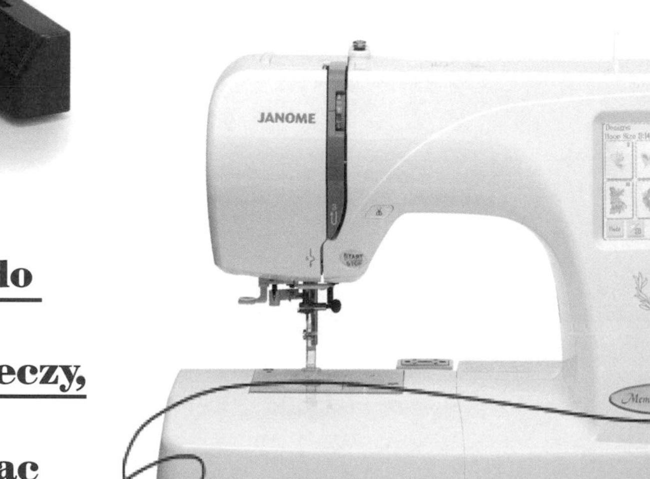

Rozdział 2.
Obsługa maszyny do szycia

Każda przygoda z szyciem musi zacząć się od poskromienia złośnicy, czyli naszej maszyny. Teraz, kiedy wiecie już, jaką wybrać, albo przynajmniej macie ich kilka na swojej liście, spośród których wybierzecie tę wymarzoną, warto przyjrzeć się jej z bliska. Bardzo często nam się wydaje, że maszyna jest zbyt skomplikowana, i nawet nie próbujemy do niej zasiąść.

Pamiętajcie jednak, że to naprawdę nie jest takie trudne. Ja zawsze porównuję obsługę maszyny do jazdy samochodem. Jeśli raz nauczysz się płynnie ruszać, to będziesz umieć. Tak samo jest właśnie z maszyną. Kilka ważnych zasad do opanowania i gotowe. To co, zaczynamy?

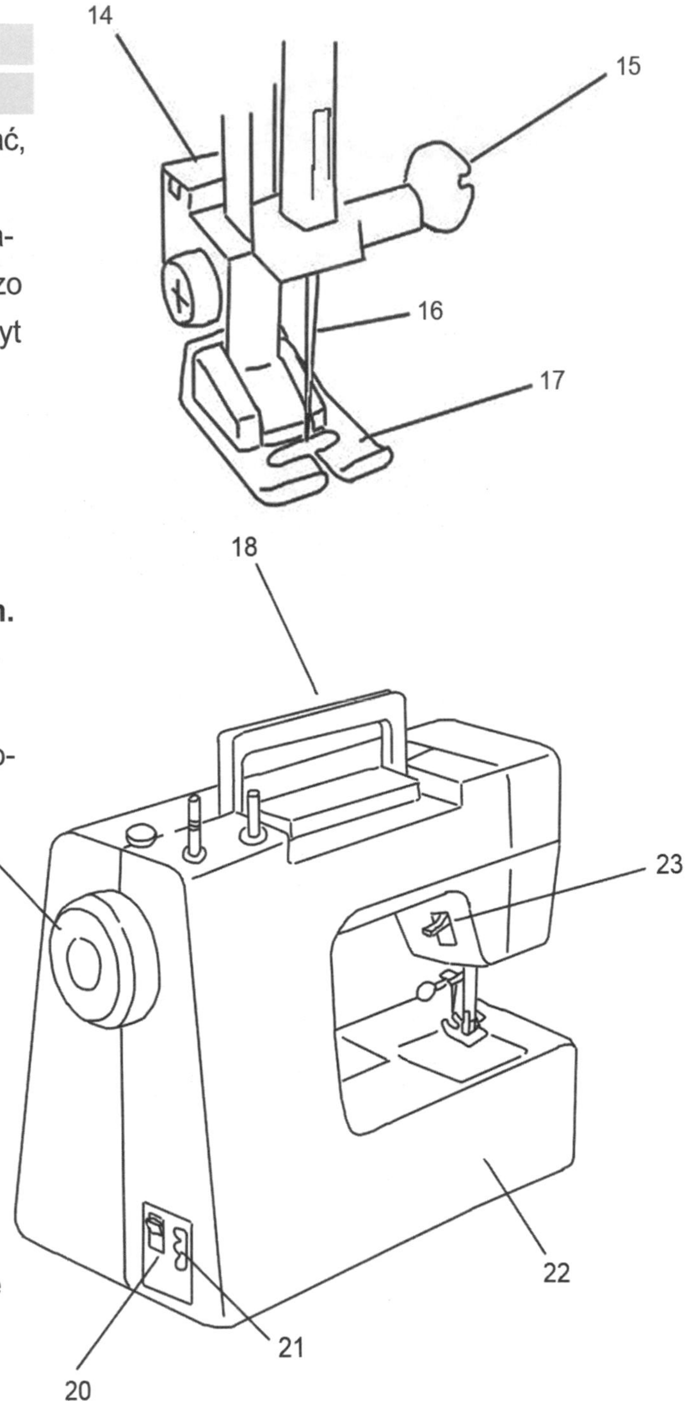

W skład podstawowej maszyny wielofunkcyjnej (ja omówię i pokażę Wam obsługę maszyny Juno, najmłodszej w rodzinie Janome) wchodzą następujące części:

1. Przycisk szycia wstecznego
2. Pokrętło wyboru ściegu
3. Regulator długości ściegu
4. Blokada szpulownika
5. Trzpień szpulownika
6. Trzpienie na szpulkę
7. Naprężacz
8. Prowadnica nici
9. Szarpak
10. Regulator naprężenia nici
11. Pokrywa czołowa
12. Płytka ściegowa
13. Wysuwany stolik
14. Uchwyt stopki
15. Śruba dociskowa igły
16. Igła
17. Stopka dociskowa
18. Uchwyt do transportu
19. Koło zamachowe
20. Włącznik zasilania
21. Wejście dla kabla zasilającego
22. Wolne ramię
23. Dźwignia podnoszenia stopki
24. Rozrusznik nożny

1. Przycisk szycia wstecznego — wbrew pozorom to ważna funkcja, która ułatwia i przyspiesza szycie. Zaczynając każdy ścieg, wręcz trzeba dobrze zabezpieczyć jego początek i koniec, tak aby był on mocny i nie popruł się przy pierwszej okazji.

2. Pokrętło wyboru ściegu — umożliwia nam ustawienie odpowiedniego ściegu w zależności od tego, co szyjemy, z jakiej tkaniny i jaki efekt chcemy osiągnąć. **Każda maszyna ma do wyboru inną liczbę ściegów, natomiast ich oznaczenia są bardzo zbliżone.** W maszynach mechanicznych znajdziecie pokrętło, natomiast w elektronicznych ścieg wybierany jest poprzez przełączenie odpowiednich przycisków. Wszystkie ściegi są narysowane na korpusie maszyny wokół pokrętła i tak na przykład literka A lub B

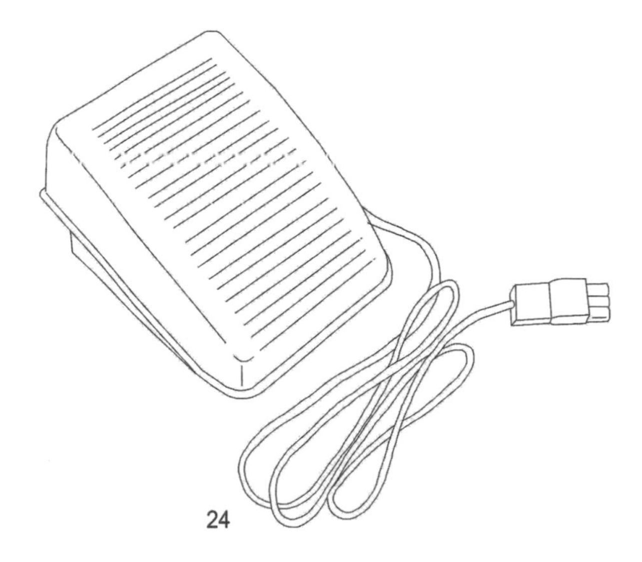

24

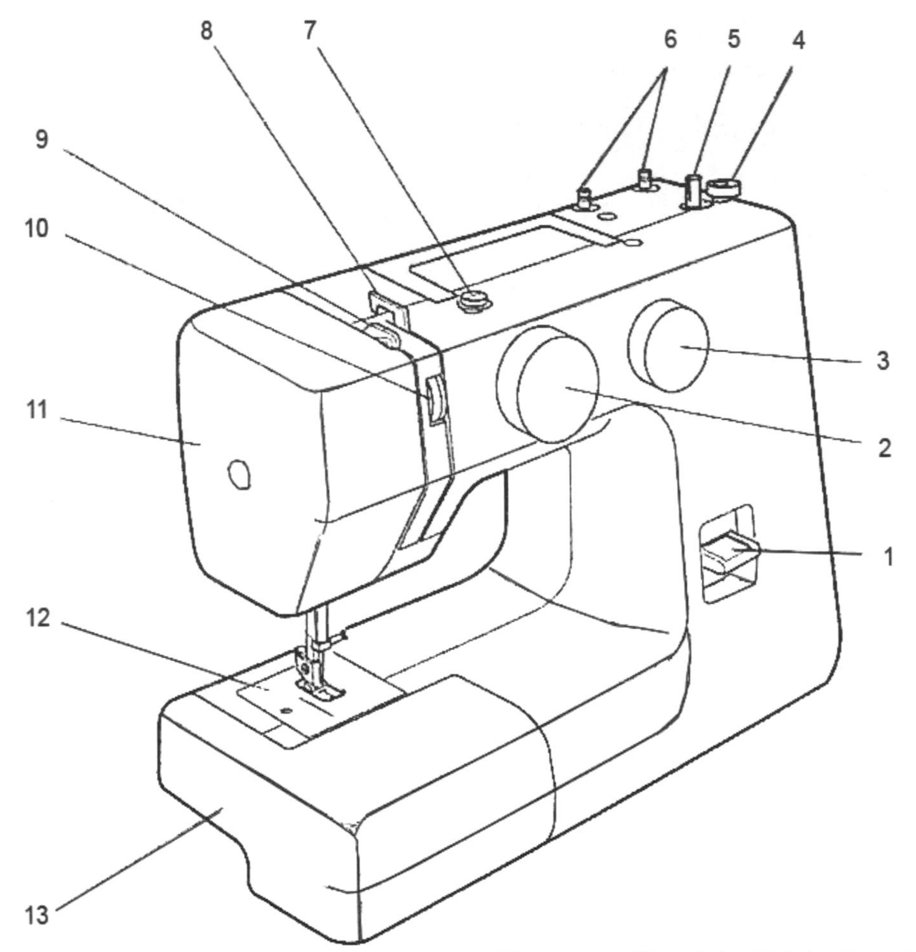

oznacza ścieg zwykły, wzór C to ścieg zygzakowy, D — trykotowy, a G — dziany.
W zależności od liczby ściegów w każdej maszynie tych oznaczeń będzie mniej lub więcej. Tutaj warto zajrzeć do instrukcji obsługi i zapoznać się z podstawami. Wiem, że pewnie wydaje się Wam to nudne (ja też nigdy nie czytam instrukcji obsługi), ale w tym przypadku naprawdę się opłaci.

Poszczególne ściegi i ich charakterystyka zostały przedstawione w rozdziale natępnym.

3. Regulator długości ściegu — określa długość ściegu. Jeśli chcesz, aby ścieg był dłuższy, ustaw pokrętło na wyższy numer. Jeśli chcesz, aby gęstość, a tym samym długość ściegu była mniejsza, bardziej zbita, wtedy ustaw pokrętło na niższy numer. Na przykład dla ściegu zygzakowego ustawiamy

zawsze ścieg na numer między 0,5 a 4. Pokrętło ustawione na parametrach S oznacza ściegi elastyczne.

4. Blokada szpulownika — wykorzystywana jest przy nawlekaniu nitki na szpulkę. Służy do blokowania i ustawienia w odpowiednim ułożeniu szpulki, dzięki czemu nitka jest dobrze prowadzona i szybko nawlekana.

5. Trzpień szpulownika — na trzpień nakładamy szpulkę, na którą później nawlekamy nici.

6. Trzpień na szpulkę — miejsce na szpulkę z nićmi.

7. Naprężacz — jest potrzebny do nawlekania nici na szpulkę. To dzięki niemu nitka jest lepiej naprężona i lepiej się prowadzi.

8. Prowadnica nici — nawlekanie nici zaczynamy od włożenia na trzpień szpulki z nitką, następnie zahaczamy nitkę o prowadnicę, prowadzimy nitkę w dół, tak jak nam pokazują strzałki/rysunki na obudowie maszyny, zakręcamy do góry i zahaczamy o szarpak.

9. Szarpak — nitka, którą już udało nam się zahaczyć o szarpak, prowadzona jest znowu w dół aż do igły.

10. Regulator naprężenia nici — pokrętło to używane jest w zależności od materiału, z jakiego szyjemy, od liczby warstw i metody szycia. Jeśli naprężenie nici jest za mocne, na prawej stronie materiału pokaże się nić pochodząca ze szpulki. W tej sytuacji musimy obniżyć naprężenie nici, czyli zmniejszyć numer na regulatorze. Jeśli naprężenie jest za słabe, to na lewej stronie pokaże się nić od igły. I tu należy zwiększyć naprężenie nici, zwiększając numer na pokrętle.

11. Pokrywa czołowa — plastikowa obudowa maszyny.

12. Płytka ściegowa — pod płytką w maszynach mechanicznych znajdziecie chwytacz rotacyjny.

13. Wysuwany stolik — pozwala on na szycie dużych, długich rzeczy, na lepsze dojście do niezbyt dostępnych miejsc, do sprawniejszego wszywania rękawów. Po zdjęciu stolika mamy też dostęp do schowka na akcesoria.

14. Uchwyt stopki — uchwyt pozwala na łatwą i szybką wymianę stopek w zależności od tego, co i z jakiego materiału szyjemy.

Rodzaje stopek zostaną omówione w kolejnym rozdziale.

15. Śruba dociskowa igły — poluzowanie śruby pozwala na jej usunięcie, wymianę czy zamianę. Pamiętajcie tylko o dobrym jej docisku, żeby nie była zbyt luźna.

16. Igła — rodzaje igieł są opisane w kolejnym rozdziale.

17. Stopka dociskowa — rodzaje stopek są opisane w kolejnym rozdziale.

18. Uchwyt do transportu maszyny

19. Koło zamachowe — pozwala podnosić lub obniżać igłę.

20. Włącznik zasilania maszyny

21. Wejście kabla zasilającego

22. Wolne ramię — przydaje się na przykład przy szyciu rękawów lub obszernych projektów, np. pościeli.

23. Dźwignia podnoszenia stopki — dźwignia pozwala na wymianę stopki, podniesienie stopki w celu włożenia tkaniny i przygotowania jej do szycia.

24. Rozrusznik nożny, czyli tzw. pedał.

1. Szpulki — wykorzystujemy do nawlekania nici, a następnie wędrują do bębenka.
2. Rozpruwacz — jeśli coś Wam źle wyjdzie, np. ścieg będzie krzywy, zawsze możecie go spruć i przeszyć na nowo. Rozpruwacz świetnie się sprawdza w tej roli.
3. Zestaw igieł — podstawowy zestaw igieł. Rozpiskę, która igła do czego służy, znajdziecie w rozdziale 3.
4. Stopka do obszywania dziurek — pozwala w szybki sposób zrobić otwory na dziurki. Później zostaje już tylko przyszycie guzików i gotowe.
5. Stopka do ściegu krytego — to świetne rozwiązanie na przykład do podszywania spódnic z grubych materiałów. Dzięki tej stopce nie trzeba już męczyć się z szyciem ręcznym.
6. Stopka do wszywania zamków — wszywanie zamka to wyższa szkoła jazdy,

ale prędzej czy później na każdego z Was przyjdzie kolej na tę czynność. Warto więc zapoznać się z tą stopką, bo ułatwia i przyspiesza pracę.

Wszystkie części maszyny, ich miejsce i zastosowanie omawiam również w filmie, więc zachęcam do zajrzenia na płytę.

Teraz, kiedy już wiecie, jakie części posiada podstawowa maszyna wielofunkcyjna, jak się one nazywają i do czego służą, możemy przejść do uruchomienia i obsługi maszyny.

Krok 1. Igła

Pierwszym krokiem, od którego musisz zacząć, jest włożenie igły. Podczas wymiany igły maszyna musi być wyłączona. Podnieś igłę do góry za pomocą koła zamachowego, opuść stopkę dociskową oraz zluzuj śrubę, odkręcając ją w kierunku przeciwnym do ruchu wskazówek zegara. Następnie wsuń igłę do zacisku płaską częścią do tyłu, dociśnij śrubę tak mocno, jak dasz radę. Gotowe. Teraz możesz podłączyć maszynę do zasilania. Włącz kabel zasilający do gniazdka przy maszynie i do gniazda sieciowego, podłącz do maszyny kabel od rozrusznika nożnego (pedał) i włącz przycisk ON na maszynie. Działa!

Krok 2. Nawijamy nici na szpulkę

Pustą szpulkę nałóż na trzpień szpulownika (nawijacz), a szpulkę z nićmi na trzpień na szpulki. Następnie zaczep nitkę na szpulce. Prowadząc nitkę przez naprężacz, wprowadź ją do szpulki poprzez otwór w szpuli od wewnątrz do zewnątrz w odwrotnym kierunku, niż poruszają się wskazówki zegara. Teraz przesuń trzpień ze szpulką w prawo i naciśnij pedał. Puść po kilku okrążeniach, odetnij nitkę i znowu przytrzymaj pedał aż do nawinięcia nitki na całą szpulkę. Następnie przesuń trzpień z powrotem w lewo i zdejmij szpulkę. Kolejny krok to włożenie nawleczonej szpulki do bębenka. Najpierw za pomocą koła zamachowego podnieś igłę do góry, a następnie włóż szpulkę do bębenka i umieść go w maszynie, trzymając za rygielek. Zamknij klapkę i gotowe.

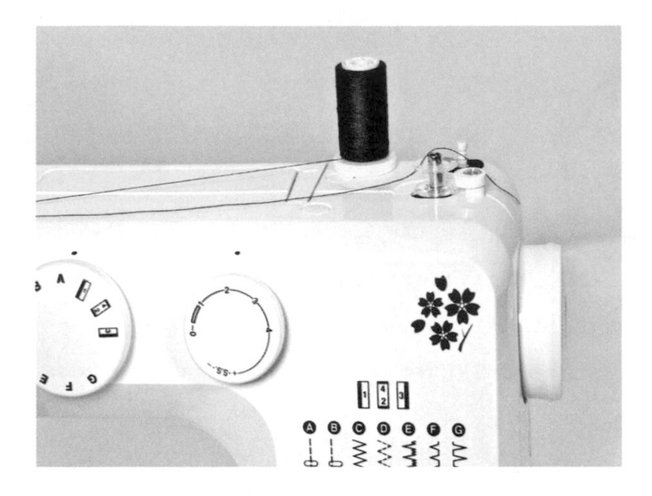

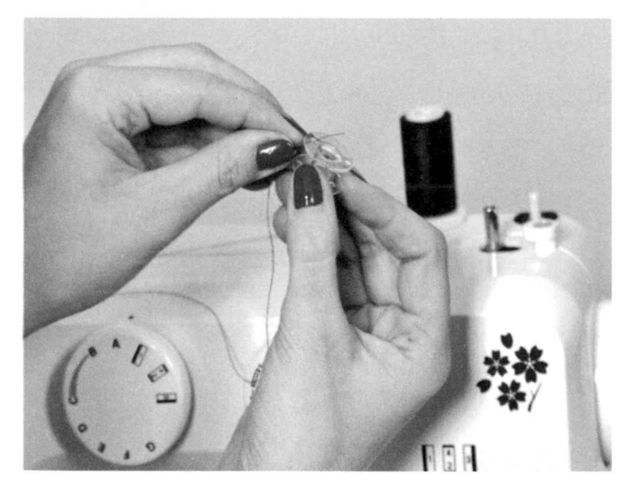

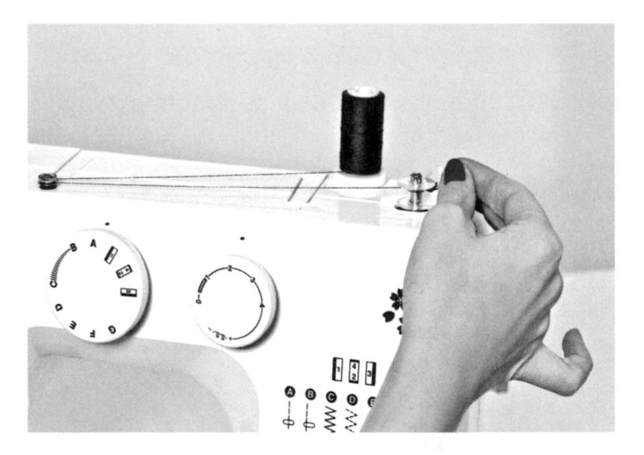

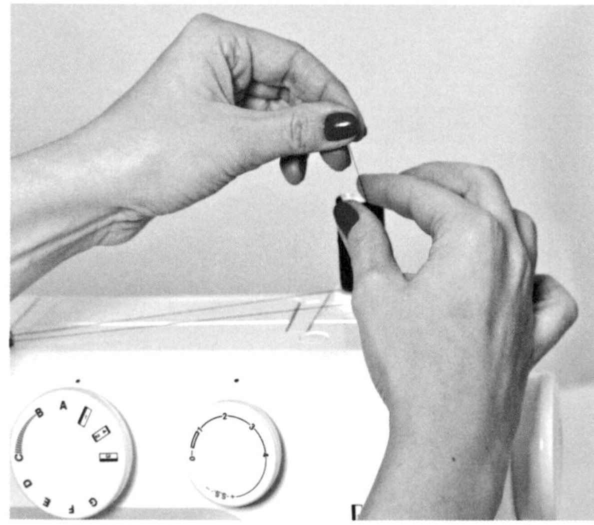

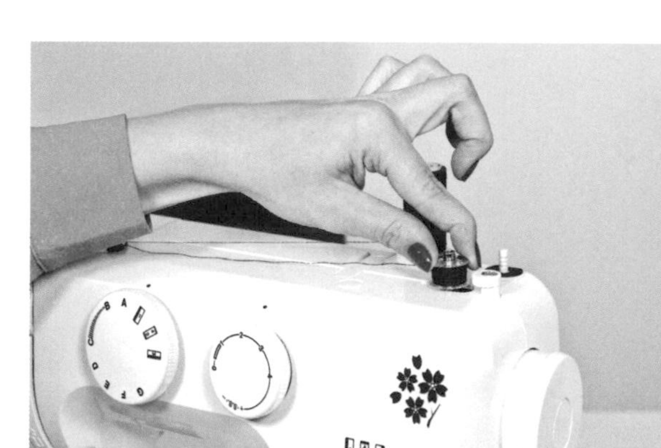

Krok 3. Nawlekamy igłę

Zdejmij ze szpulownika szpulkę z nawleczoną nitką i włóż ją do bębenka. Pamiętaj, że nitka musi być skierowana w przeciwnym kierunku do wskazówek zegara i musi przejść przez wszystkie otwory. Następnie włóż bębenek do chwytacza.

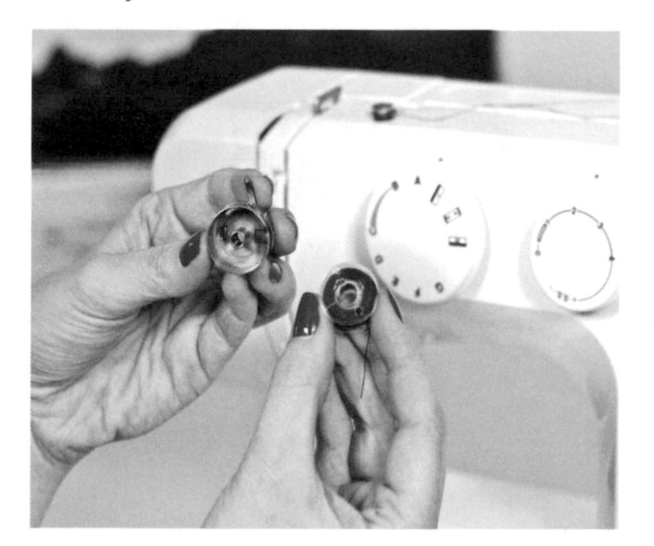

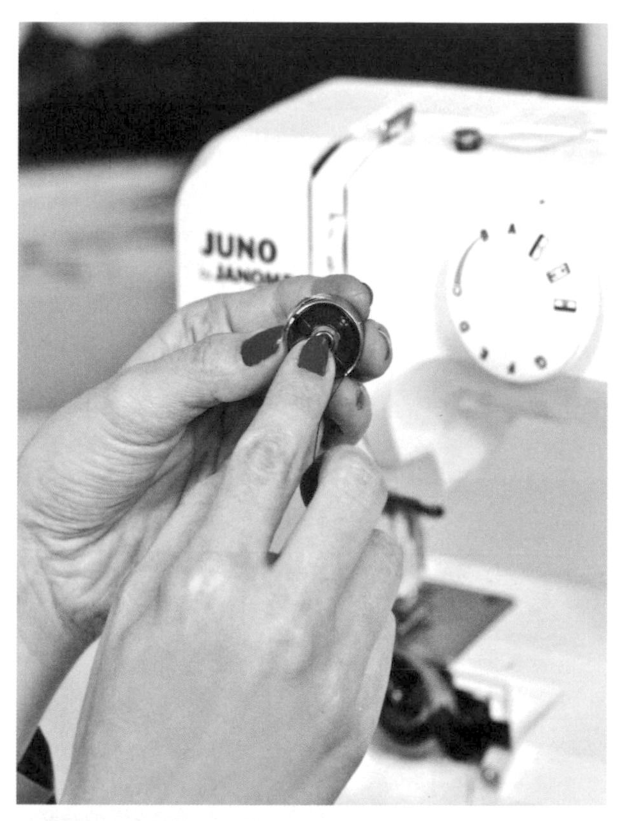

JUNO

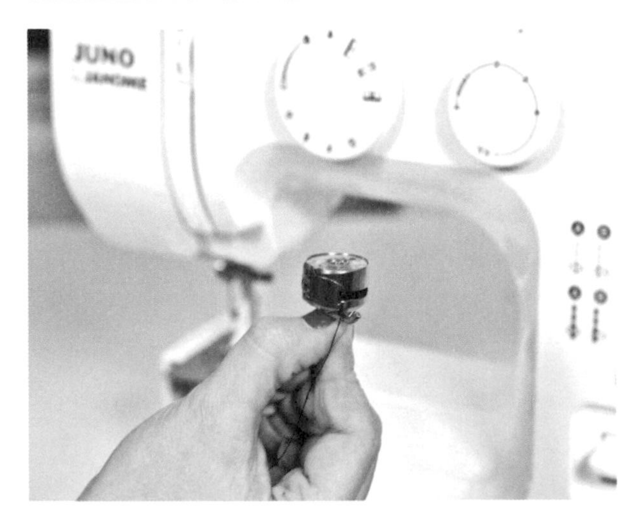
JUNO

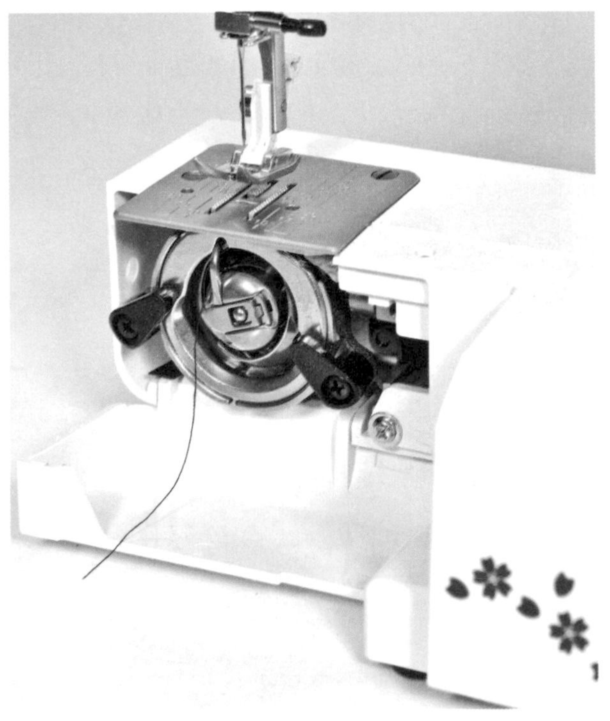

Możesz teraz nawlec nitkę na igłę. Dużą szpulkę z nićmi zostaw na trzpieniu, ale tym razem poprowadź nić do prowadnicy nici, następnie w dół według narysowanych strzałek na obudowie maszyny, później zakręć nitkę do góry, zaczep o szarpak i znowu zejdź w dół z nitką aż do igły. Następnie nawlecz igłę i kołem zamachowym obniż ją w dół w celu wyjęcia dolnej nitki. Teraz, kiedy igła jest już nawleczona, możesz ustawić wszystkie parametry potrzebne do szycia.

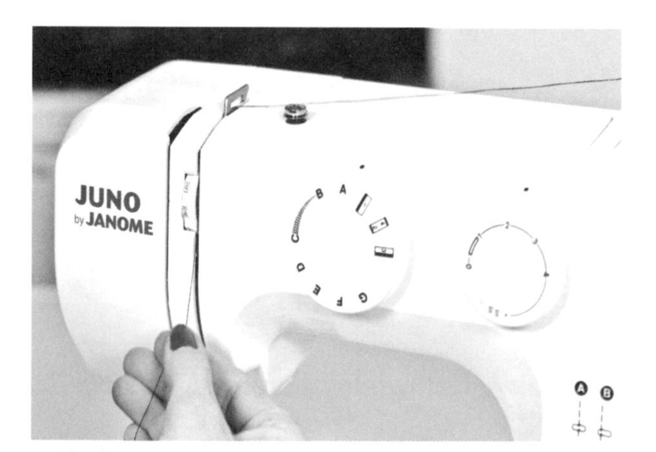

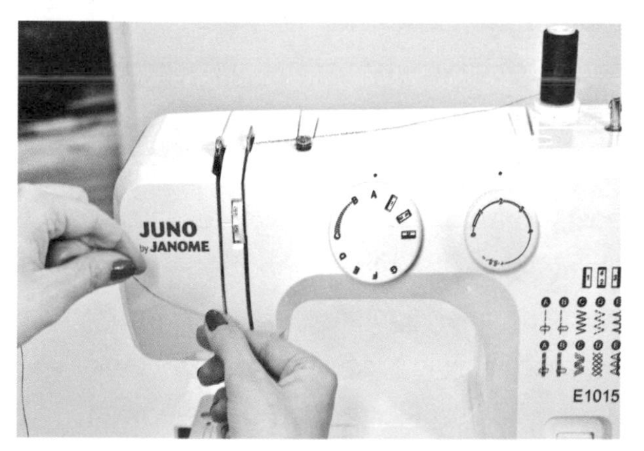

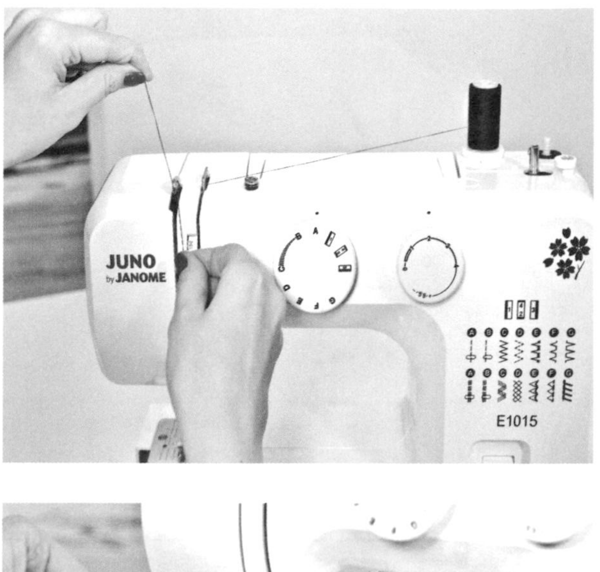

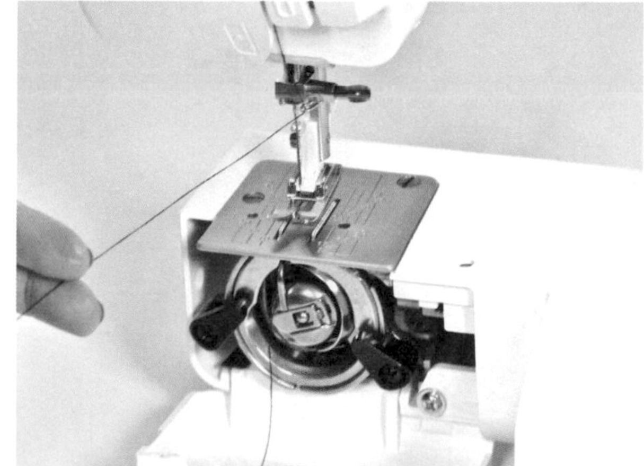

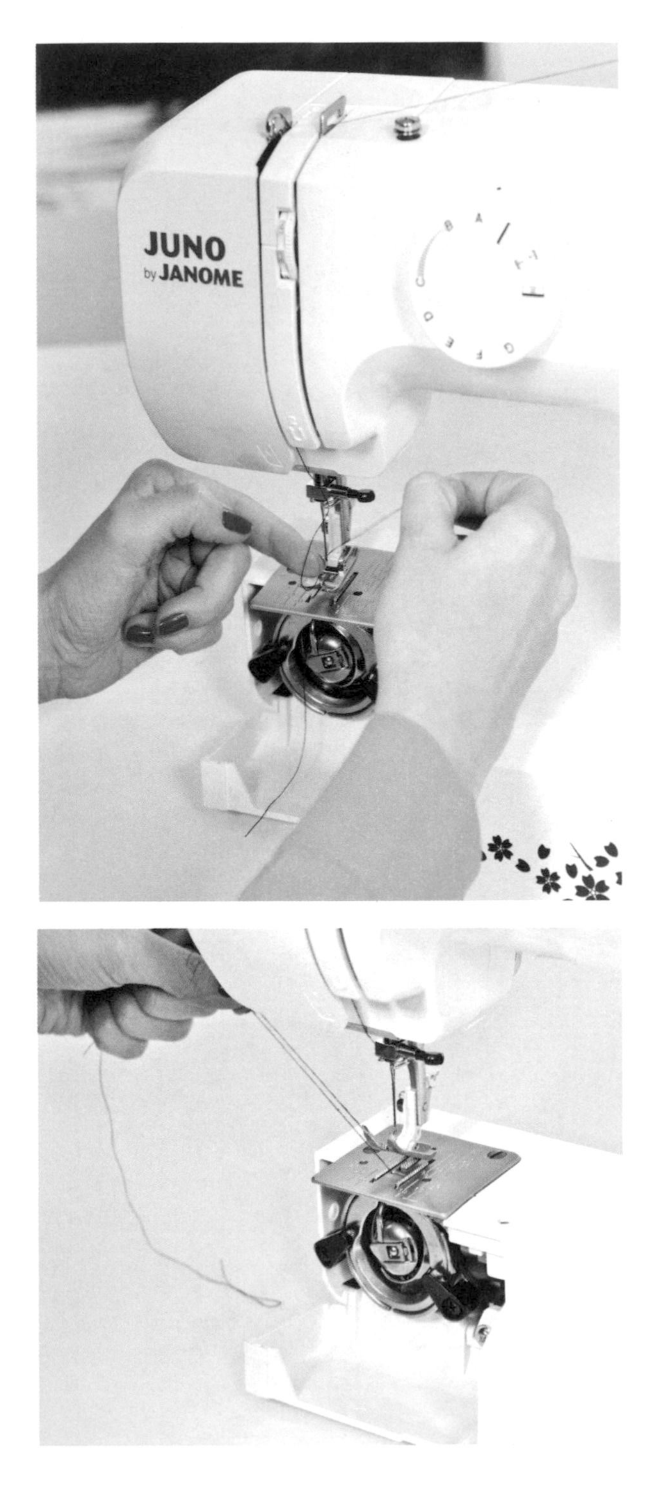

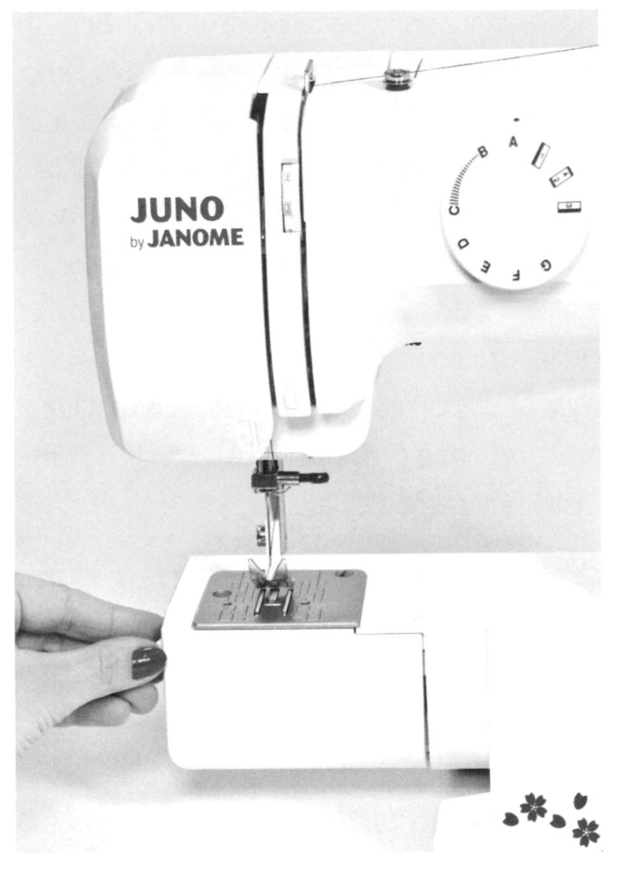

Krok 4. Ustawiamy parametry szycia

Pierwszym działaniem, bez którego nie zaczniesz szyć, jest ustawienie odpowiedniego ściegu. Na przykład do szycia zwykłego wybieramy ścieg A lub B. Rodzaje ściegów zostały omówione w kolejnym rozdziale. Następnie ustawiamy długość ściegu. Im wyższy numer, tym dłuższy ścieg. Teraz możesz ustawić właściwe naprężenie nici. Jeśli nić od szpulki pokaże się na prawej

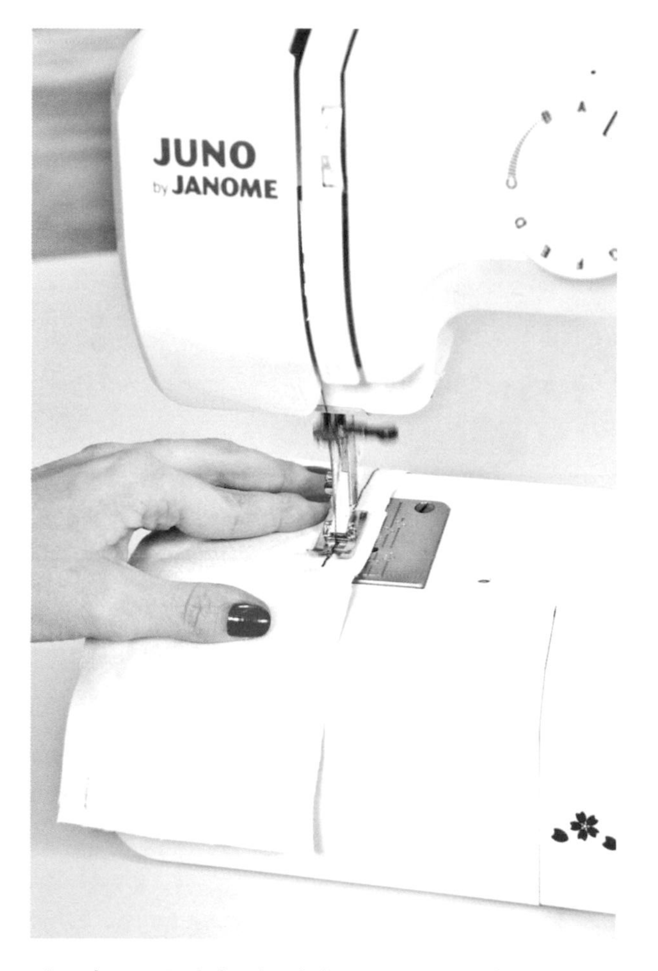

stronie materiału, będzie to oznaczało, że naprężenie nici jest za mocne, wtedy należy obniżyć numer na regulatorze. Jeśli jednak nić od igły pokaże się na lewej stronie, wtedy naprężenie jest za słabe, więc podnosimy numer na regulatorze. Pamiętaj, że wszystkie parametry ustawiane są w momencie, gdy igła jest w górze. Zerknij na tył książki, tam czeka płyta, na której wszystko jest wyraźnie pokazane.

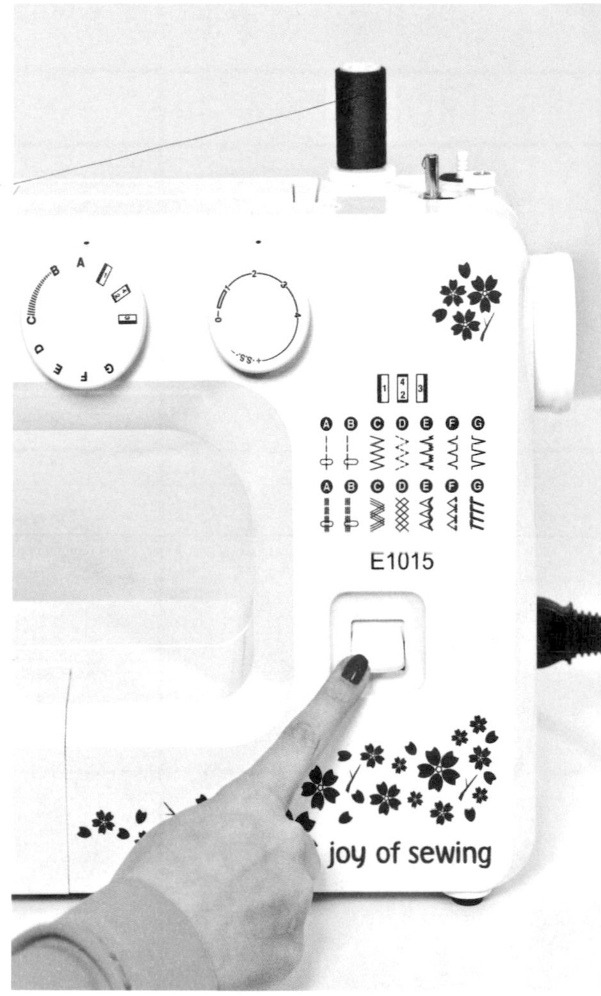

Krok 5. Wykonujemy próbę

Podnieś stopkę dociskową i umieść materiał na płytce ściegowej. Następnie obniż stopkę i wbij igłę w materiał, obniżając ją kołem zamachowym. Teraz możesz zacząć szyć. Ruszaj powoli, naciskając pedał (rozrusznik

Najczęstsze problemy podczas szycia

PROBLEM	PRZYCZYNA
Zrywa mi się nitka przy igle	- Sprawdź, czy nić jest dobrze nawleczona na igłę. - Naprężenie nici może być zbyt mocne. - Igła jest krzywa lub tępa. - Igła jest źle umieszczona.
Zrywa mi się nitka przy szpulce	- Nitka jest źle nawleczona na szpulkę. - Sprawdź, czy szpulka nie jest uszkodzona. - W bębenku nagromadziły się strzępki nici.
Ścieg mi przeskakuje	- Źle wstawiona igła. - Igła źle dobrana do rodzaju materiału. - Nić źle nawleczona na igłę. - Igła uległa uszkodzeniu.

nożny). Po dosłownie kilku ruchach zatrzymaj maszynę i użyj przycisku do szycia wstecz. Zawsze pamiętaj o jego użyciu na samym początku oraz na końcu szycia. Dzięki temu zakańczasz ściegi i masz pewność, że nic się nie spruje. Próba udana, maszyna nie pętelkuje, nie łamie igły, wszystko działa, więc szyj i ciesz się tym. A jeśli coś jest nie tak, to sprawdź, co może być tego przyczyną.

Igła się łamie	- Igła jest źle wstawiona. - Śruba dociskowa jest za słabo ustawiona. - Naprężenie nici jest zbyt mocne. - Igła jest źle dobrana do rodzaju materiału. - Pokrętło wyboru ściegu zostało ustawione wtedy, gdy igła była już wbita w materiał.
Szwy się marszczą	- Naprężenie nici od igły jest za mocne. - Ściegi są za rzadkie. - Materiał jest bardzo cienki, a igła nieodpowiednio do niego dobrana
Maszyna pętelkuje	- Naprężenie nici przy igle jest za małe. - Igła źle dobrana do materiału.
Materiał nie chce się przesuwać	- W ząbkach nagromadziły się strzępki nici. - Ściegi są zbyt drobne.

Podsumowanie

To by było na razie tyle. Mam nadzieję, że niczego nie pominęłam. Dla wszystkich osób, które mają mały niedosyt, przygotowałam filmik z obsługi maszyny do szycia, do którego Was teraz odsyłam. W nim pokazuję, jak krok po kroku rozprawić się z maszyną do szycia. Jak ją ujarzmić! I jak już pisałam, to wcale nie jest takie trudne! Prawda?

Rozdział 3.
Akcesoria do szycia

Wydawałoby się, że wybór odpowiedniej maszyny do szycia i jej obsługa to dwa kluczowe elementy, których opanowanie pozwoli nam już szyć. Jest jednak jeszcze kilka innych ważnych zagadnień, bez których będzie Wam ciężko przebrnąć przez etap początkowy. **Często spotykam się z pytaniami: Jakie wybrać akcesoria do szycia? Gdzie je kupić? Na co zwrócić uwagę?**

W tym rozdziale chciałabym Wam przedstawić właśnie akcesoria do szycia, ich parametry, podstawowe ściegi i szwy. Mam nadzieję, że te informacje rozwieją Wasze wątpliwości i pomogą dobrać odpowiednie narzędzia. Zaczynamy!

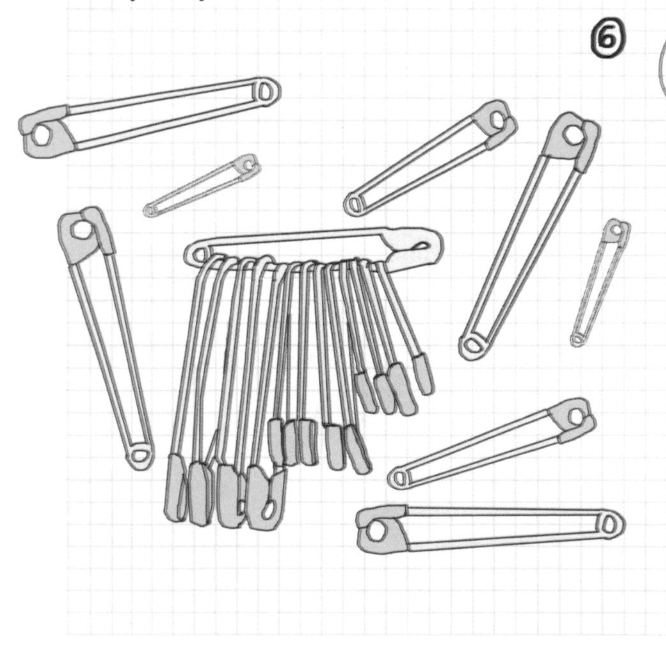

Rysunki: Meri Wild

11
14
4
13
3
12
5
8
10

1. Metr krawiecki — będzie potrzebny do pobrania własnych miar dla poszczególnych wykrojów.
2. Mydełko krawieckie — dzięki niemu zaznaczycie wszystkie linie na materiale.
3. Szpilki — szybko pospinacie nimi wykrojone, gotowe do zszycia części.
4. Nożyczki:
   - nożyce krawieckie — zaczynają się od długości 10–15 cm, wykonane są ze stali i możecie je poznać po wielkości uchwytów. Jeden zazwyczaj jest mniejszy, a drugi większy.
   - nożyczki — są mniejsze od nożyc, uchwyty mają tej samej wielkości, a długość ostrza to maksymalnie 15 cm.
5. Prujka — niewielki przyrząd, który przydaje się do prucia szwów, np. wtedy, gdy coś zszyjemy krzywo albo przez przypadek zszyjemy za dużo warstw (niestety na początku często się to zdarza).
6. Agrafki — przydadzą się na przykład przy wciąganiu gumy do paska.
7. Żelazko — najlepiej takie, które łatwo dostosujecie do różnych materiałów. Przydałby się szeroki zakres regulacji temperatury oraz możliwość prasowania zarówno na sucho, jak i z parą.
8. Deska do prasowania — profesjonalna deska do prasowania to dość spory wydatek na początek szyciowej drogi, dlatego spokojnie możecie wykorzystać tę, która zapewne znajduje się w Waszym domu. Warto pamiętać, że w tej roli równie dobrze sprawdza się stół lub większa powierzchnia, na której możecie nie tylko rozłożyć materiał i wyciąć z niego wszystkie elementy, ale także porządnie je wyprasować zarówno w trakcie szycia (prasowanie międzyoperacyjne), jak i po ukończeniu dzieła.
9. Kolorowe pisaki — nie są niezbędne, ale przydają się jako zamiennik mydełka krawieckiego, zwłaszcza kiedy mydełko mamy w kolorze białym, a materiał też jest jasny. Oczywiście możecie kupić kolorowe mydełko albo pisaki. Świetnym rozwiązaniem są pisaki, które same znikają. Mydełko schodzi niestety dopiero w praniu.
10. Szary papier — jest najczęściej używany do tworzenia wykrojów pod poszczególne projekty. Prawdę mówiąc, ja coraz częściej polecam używanie flizeliny. Jest ona trwalsza i raz zrobiona forma (np. na bluzkę) posłuży Wam dłużej niż ta z papieru, który może się porwać i szybciej zużyć.

11. Kalka — bardzo często pytacie mnie, jak przenosić gotowe wykroje (na przykład z „Burdy") na papier, jak je przekopiować w szybki i łatwy sposób. Bardzo dobre rozwiązanie stanowi właśnie kalka lub papier śniadaniowy. Ten ostatni dlatego, że jest dość cienki, prześwituje i w łatwy sposób można przekopiować potrzebne linie. Warto mieć pod ręką kalkę lub taki papier.
12. Ołówek — wszystkie linie, które będziecie przenosić na papier, tworząc szablony na własne wymiary, dobrze jest narysować właśnie ołówkiem. Dlaczego nie długopisem czy flamastrem? Oczywiście można, ale jeśli wkradnie się jakiś błąd, ołówek jesteście w stanie zawsze zetrzeć i poprawić linie, a z flamastrami wykrój będzie już w całości do poprawy.
13. Linijki — komplet linijek przydaje się nie tylko do odrysowania wykroju, ale też do domierzenia poszczególnych odcinków i do zaznaczenia odpowiednich kątów. Najlepiej jest skompletować zestaw: podstawowa linijka krawiecka, ekierka mała i duża i do tego cyrkiel, który przyda się przy robieniu łuków.
14. Obcinaczki — najczęściej używane przy odcinaniu wystających niteczek lub ucinaniu nitki po zakończonym szyciu (jeśli Wasza maszyna nie robi tego automatycznie).

IGŁY

To, jaką igłę wybierzecie do swojej maszyny, zależy głównie od rodzaju materiału, od jego grubości i od nici. Za cienka lub za gruba igła w połączeniu ze źle dobranymi nićmi sprawi, że zamiast szyć, będziecie się denerwować, a w efekcie połamiecie igły bądź poszarpiecie materiał.

Dlatego pamiętajcie, że igły dzielimy przede wszystkim ze względu na system, czubek i rozmiar (grubość).

Podział igieł maszynowych

1. Ze względu na system.

Każda maszyna posiada określony system igły, np. do wieloczynnościowych maszyn do szycia musimy stosować igły o systemie 130/705, do overlocków HSx1, a do coverlocków (renderek) ELx705.

2. Ze względu na rodzaj czubka.

— **Okrągły:**

— R — igły uniwersalne, stosowane do standardowych tkanin.

— SPI — igły z okrągłym, ostro zakończonym czubkiem, stosowane do szycia gęstych tkanin: jedwabiu, mikrofazy.

— SES — igły z okrągłym czubkiem zakończonym kulką, stosowane do lekkich dzianin lub gęsto tkanego materiału.

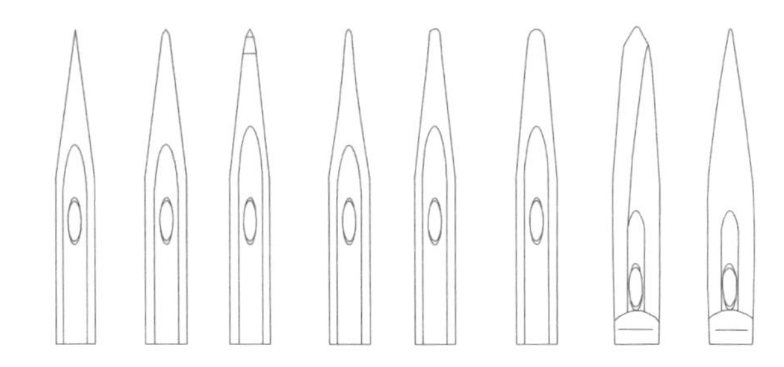

— SUK — igły z okrągłym czubkiem zakończonym kulką, stosowane do jerseyu, dzianin o średnim i dużym oczku, stretchu, lycry, delikatnych i elastycznych dzianin.

— **Tnący:**

— LL — igły z ostrzem tnącym, stosowane do skór naturalnych i sztucznych oraz cerat. Grubość igieł oznaczana jest symbolem Nm. Na przykład Nm 60 oznacza, że średnica igły ma 0,60 mm.

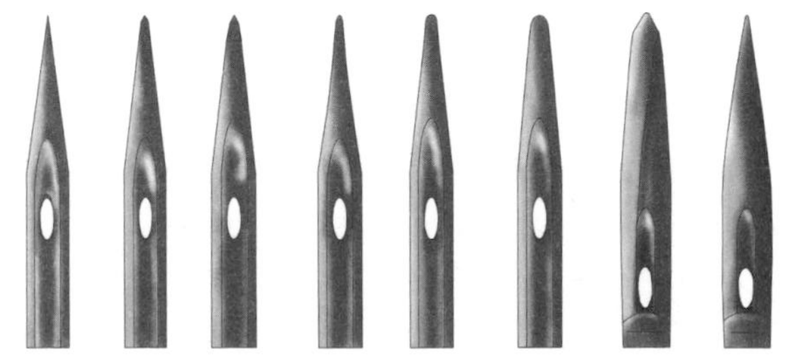

Podział igieł ze względu na ich grubość

1. Cienkie — Nm 60 – 80
2. Średnie — Nm 80 – 90
3. Grube — Nm 100 – 120

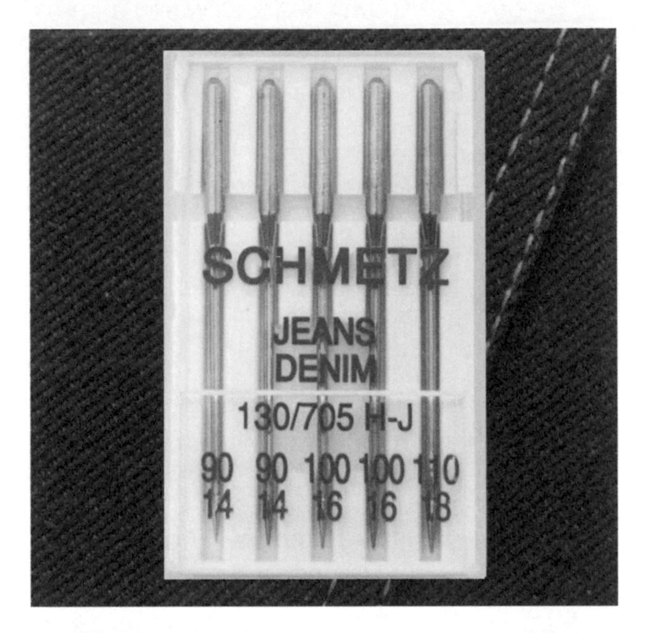

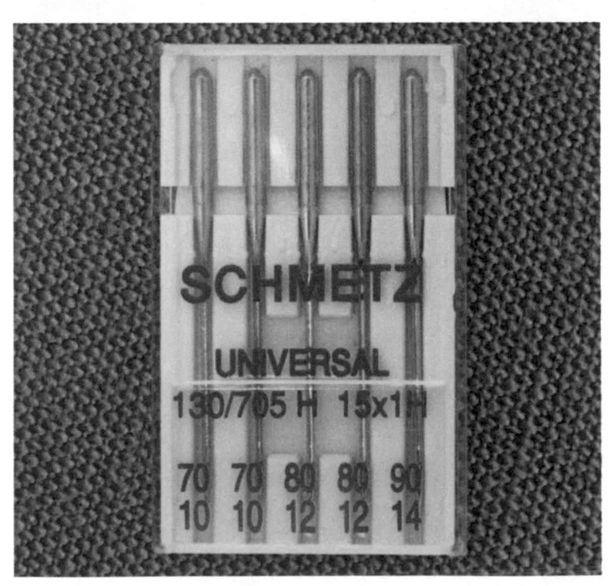

Grubość igieł oznaczamy cyframi. I tak na przykład, jeśli macie zapis 1/100 Nm, oznacza to, że macie igłę grubą.

Teraz, kiedy już wiecie, jaką igłę wybrać, czas na nici. **Panuje powszechne przekonanie, że kolor nici powinien być dopasowany do koloru tkaniny lub dzianiny.** To prawda, ale nie zawsze. Przecież to Wy szyjecie ubrania według swojej wizji i jeśli chcecie połączyć na przykład czerń z czerwienią, aby stworzyć ciekawy kontrast, to kto Wam zabroni? Nikt!

Dlatego możecie szaleć, bo właśnie o to w tym wszystkim chodzi, żeby szyć to, co się Wam podoba, czego nikt inny nie będzie miał. Właśnie na tym polega cała zabawa! A wracając do tematu nici, to jeśli macie ochotę szaleć, mieszać i kombinować, róbcie to. Jeśli nie, trzymajcie się kolorystyki klasycznej i bezpiecznej. Takie podejście także jest poprawne.

Nie omawiam rodzajów nici do szycia ręcznego, bo teraz, gdy już umiecie obsługiwać maszynę, nie chcę nawet słyszeć, że szyjecie ręcznie.

Rodzaj materiału	Igła cienka Nm 60-80	Igła średnia Nm 80-90	Igła gruba Nm 100-120
batyst	X		
sztruks			X
adamaszek	X		
dżins			X
gabardyna		X	
kreton	X		
popelina		X	
aksamit		X	X
polar			X
woal	X		
krepon		X	
flanela		X	
welur			X
filc			X
loden		X	X
muślin	X		
sukno		X	
tweed		X	
szyfon	X		
krepa	X	X	
żorżeta	X	X	
satyna		X	
tafta	X		
skóra			X
zamsz			X
dżersej		X	
koronki	X		
lama	X		

Chyba, że fastrygujecie lub podszywacie ściegiem krytym, to wtedy OK. Pamiętajcie, że im wyższy numer na szpulce, tym cieńszą nić kupujecie, im niższy numer, tym nić będzie grubsza.
W mierze nici wykorzystuje się też system Tex. Jest to podstawowa jednostka miary, która określa masę w gramach odcinka nitki o długości 1000 m (1 km).

Nici możemy podzielić ze względu na

1. **Rodzaj surowca:**
— naturalne — bawełniane, coraz rzadziej wykorzystywane w szyciu, zastępowane nićmi syntetycznymi,
— syntetyczne — poliestrowe, wiskozowe, cechują się wyjątkowo wysoką wytrzymałością, odpornością na tarcie i działanie substancji chemicznych. Są również w wysokim stopniu odporne na działanie wilgoci, pleśni, insektów i bakterii.
2. **Budowę nici** — nici filamentowe (poliestrowe) i odcinkowe.
3. **Wykończenie nici pod kątem:**
— poprawy wytrzymałości i odporności nici na ścieranie
— nadania niciom właściwości przeciwgrzybicznych i antystatycznych lub zwiększenie ich odporności na działanie wody i ognia.

Rodzaje nici

— Bawełniane — zrywają się częściej niż poliestrowe i nie są tak mocne.
— Elastyczne — mieszanka poliestru z elastanem. Takie nici najczęściej wykorzystujemy do szycia dzianin.
— Jedwabne — miękkie, mocne i z połyskiem, najczęściej wykorzystywane do szycia ręcznego.
— Lniane — używane najczęściej przy szyciu toreb, dywanów lub pasków.
— Poliestrowe — mocne nici, które możemy zastosować praktycznie do każdego rodzaju materiału. Są wytrzymałe, odporne na wysokie temperatury, nie zrywają się często i nie tracą koloru po praniu.

Grubość materiału	Materiał	Rodzaj nici	Igła Średnica/Grubość
Cienkie	trykot żorżeta woal krepa cienkie płótna	cienkie jedwabne bawełniane poliestrowe syntetyczne	9/65 11/75
Średnie	len bawełna dzianina	50 jedwab 50 - 80 bawełna 50 - 60 syntetyk poliester	12/80 14/90
Grube	denim tweed gabardyna flausz	50 jedwab 40 - 60 bawełna 40 - 60 syntetyk poliester	16/100

Po przebrnięciu przez całą teorię dotyczącą gadżetów, które musicie mieć i które musicie poznać, zanim zaczniecie szyć, przyszedł czas na stopki do maszyn. I tutaj muszę podkreślić, że bardzo często to właśnie stopki potrafią zdziałać cuda, a raczej — krawiec dzięki nim. Ja dopiero od niedawna odkrywam zalety różnych stopek i tego, w jaki sposób potrafią one ułatwić człowiekowi życie, dlatego postanowiłam Wam opisać kilka takich, w które warto się zaopatrzyć. Oczywiście te podstawowe, które dołączone są do maszyn, w zupełności wystarczą i można spokojnie na nich szyć, ale warto zgłębić temat i zafundować sobie jeszcze kilka dodatkowych. Zanim wybierzecie odpowiedni zestaw stopek, dobrze będzie najpierw sprawdzić, czy dana stopka jest odpowiednia do Waszej maszyny.

Co już masz:	Akcesoria:
V	metr krawiecki
	szpilki
	nożyczki
	agrafki
	szary papier + kalka
	ołówek
	linijki
	igły
	nici
	obcinaczki
	prujka
	nici
	żelazko

Zorientujcie się więc, jaki chwytacz ma Wasza maszyna. Stopki do maszyn z chwytaczem rotacyjnym są inne niż te do maszyn z chwytaczem wahadłowym. Detalem ważnym dla wyboru właściwej stopki jest również system mocowania stopki w maszynie. Tu też sprawdźcie, jak mocujecie u siebie stopki. Czy są one na docisk (nowsze maszyny), czy na śrubki (starsze maszyny).

Jeśli posiadacie maszynę konkretnej marki, kupujcie stopki tego samego producenta, bo wtedy macie pewność, że wszystko będzie do siebie pasowało. Dla pewności warto jednak przeczytać opis i dopasować szerokość ściegu. Oczywiście stopki marki np. Janome będą pasowały też do innych maszyn, zanim jednak kupicie nowy zestaw, sprawdźcie te trzy podstawowe warunki. Jeśli wszystko będzie się zgadzać, to możecie śmiało kupować.

Wiecie już, jak sprawdzić i wybrać odpowiednią stopkę. Teraz zobaczcie, jakie stopki mamy na rynku i która z nich może się Wam przydać!

Rodzaje stopek podstawowych (do maszyn z chwytaczem rotacyjnym lub wahadłowym)

1. **Uniwersalna** — będzie przez Was wykorzystywana w 90% projektów. Ja do tej pory większość swoich ubrań szyję na uniwersalnej stopce.

1

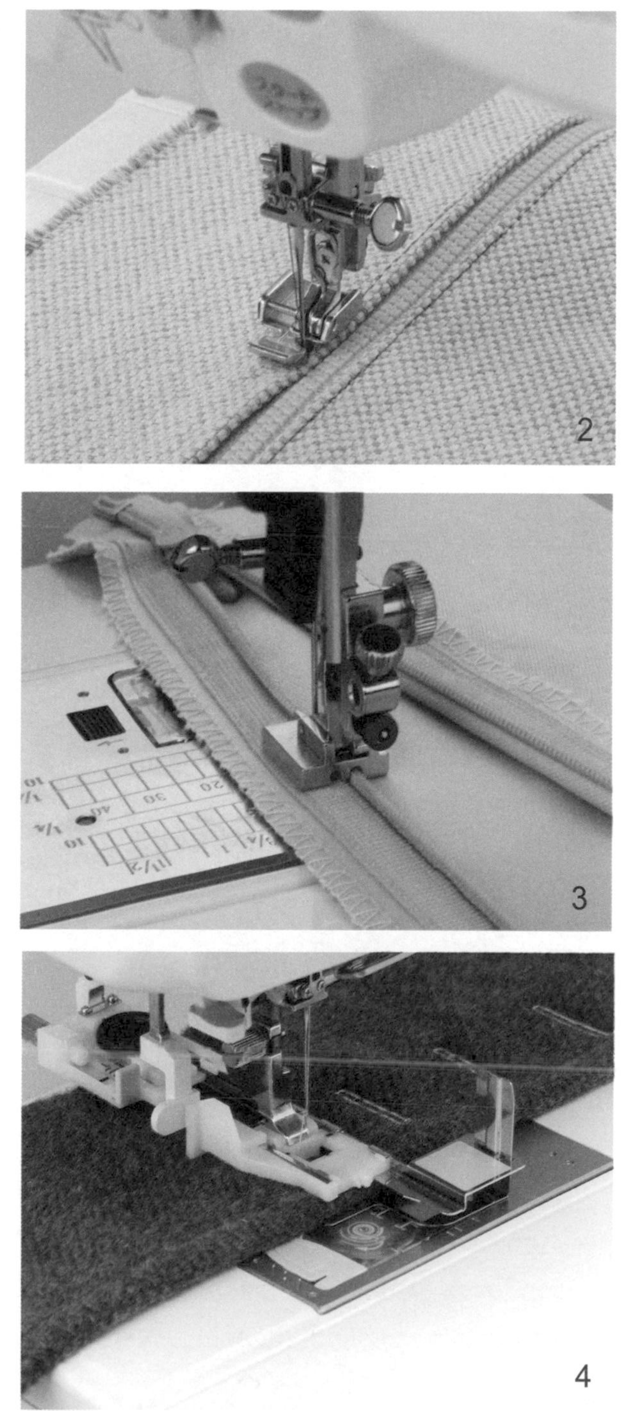

2

3

4

2. **Do wszywania zamków** — dzięki tej stopce nie będziecie musieli się martwić, że wszyjecie zamek krzywo. Stopka idealnie prowadzi igłę i dzięki niej wszywanie zamka to bułka z masłem.
3. **Do wszywania zamków krytych** — również służy do wszywania zamków, ale tą stopką wszywamy zamki kryte. Najczęściej spotkacie się z nimi np. w klasycznej spódnicy damskiej.
4. **Do obszywania dziurek** — dzięki tej stopce w szybki sposób zrobicie równe

dziurki w swoim wyrobie, a dodatkowo niektóre stopki są w stanie obszyć dziurki na wymiar guzika.

5. **Stopka krawędziowa 1/4"** — idealna dla osób lubiących precyzję. Dzięki jej prowadnikowi idealnie zszyjemy tkaniny, naszyjemy kieszenie, uzyskamy zakładki oraz zrobimy równoległe stebnowanie w okolicy szwu.

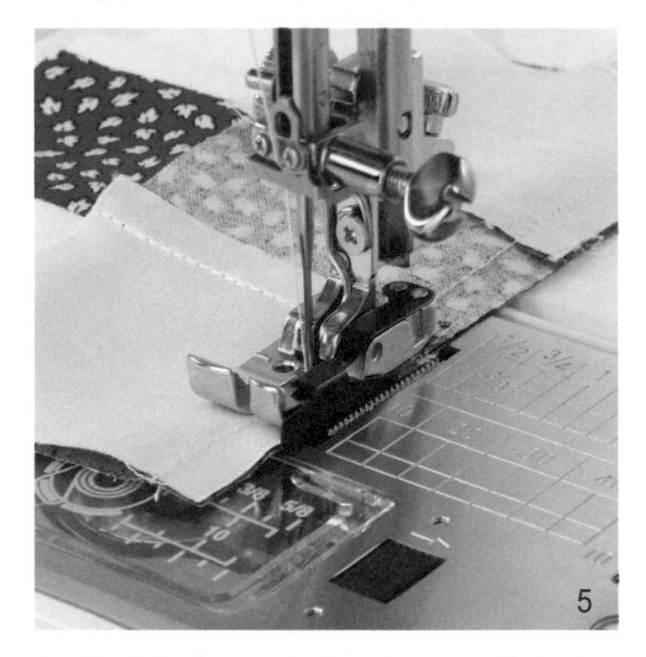
5

6. **Do ściegu overlockowego** — stopka ta ułatwi Wam obrzucanie krawędzi tkanin. Dzięki niej szerokość obrzucania będzie idealnie równa, a krawędź tkaniny nie pomarszczy się i nie zroluje, jak to się czasem zdarza przy obrzucaniu zwykłą stopką.

6

7. **Do ściegu krytego** — idealna stopka do szycia ściegiem krytym, np. do podwijania dołu. Możecie to zrobić oczywiście ręcznie, ale dzięki stopce praca pójdzie szybciej, lepiej i równiej.

7

8. **Stopka z regulowanym prowadnikiem** — idealna stopka dla osób, które mają problem z równym szyciem, a jak pewnie wiecie, na początku to powszechny problem. Dzięki takiej stopce, która zapewnia

precyzję i dobrą widoczność, zszyjemy tkaniny równo. Szwy będą znajdowały się w tych samych odległościach, bez efektu zygzaka. Regulowany prowadnik umożliwia szycie od 1 cm do nawet 3 cm od krawędzi materiału. Dodatkowo, przy prowadniku jest specjalne zabezpieczenie, które uniemożliwia przesunięcie go w trakcie szycia.

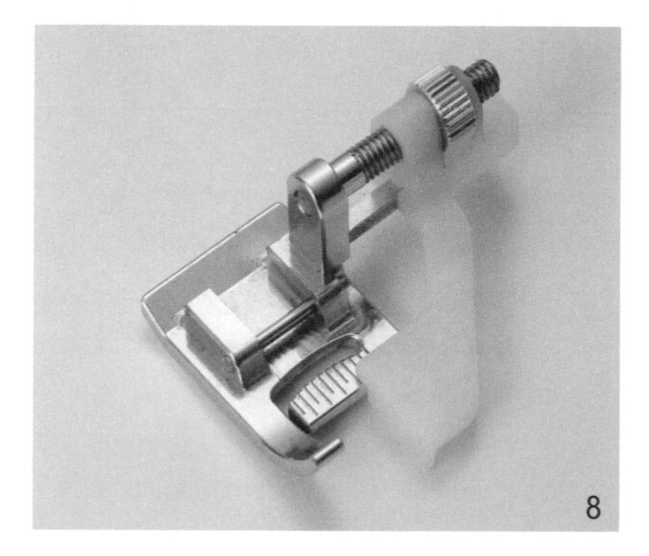
8

9. **Stopka z górnym transportem i prowadnikiem** — ułatwia płynne podawanie tkaniny. Dzięki niej przeszywanie tkanin odbywa się bez marszczenia i przesuwania. Doskonale sprawdza się w wielu technikach szycia, np. przy pikowaniu, łączeniu tkanin, stebnowaniu oraz szyciu materiałów trudnych w transporcie (lateks, skóra, szyfon itp.).

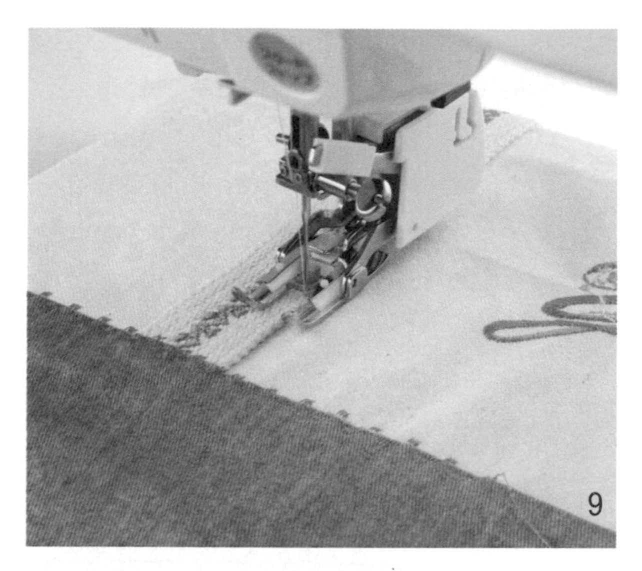
9

Rodzaje stopek dodatkowych

1. **Do naszywania lamówek (lamownik)** — stopka do wszywania lamówki, którą często wykorzystujemy do wykańczania dekoltu lub rękawków. Możecie zrobić to też ręcznie, ale dzięki tej stopce będzie dużo szybciej, bardziej profesjonalnie i bardziej precyzyjnie.

1

2. **Do podwijania (obrębiania)** — stopka ta zdecydowanie ułatwi Wam wykończenie krawędzi, zwłaszcza przy cienkich, przezroczystych tkaninach, takich jak szyfon. Oczywiście wykańczanie odzieży na maszynie wielofunkcyjnej możliwe jest również przy stopce uniwersalnej, ale jeśli chcecie zrobić to szybciej i ładniej, to taka stopka na pewno Wam się przyda.

2

3

3. **Do marszczenia materiału** — umożliwi uzyskanie równomiernego marszczenia przy jednoczesnym doszywaniu materiału. Najlepiej sprawdza się dla cienkich tkanin.

4

4. **Teflonowa** — jest idealna do szycia skóry, lateksu i innych twardych, syntetycznych „klejących" się materiałów. Przy szyciu np. skóry występuje efekt przyklejania się tkaniny do stopki, co powoduje, że ścieg się marszy, roluje, a to nie wygląda zbyt dobrze. Dzięki stopce teflonowej unikniecie takich przygód.
5. **Stopka z rolkami** — stopka dociska warstwy tkaniny, a rolki pomagają w transportowaniu materiału podczas szycia, dzięki czemu wszystkie warstwy materiału pod stopką są płynnie przesuwane. Stosowana jest do trudnych i syntetycznych materiałów, takich jak:

— tkaniny z włosiem: welur, aksamit,
— tkaniny klejące, trudne w transporcie: skaj, skóra,
— tkaniny śliskie i delikatne: organza, tiul, szyfon,
— tkaniny elastyczne,
— dzianiny.

6

5

6. **Do naszywania koralików** — dostępne są stopki do wszywania koralików o średnicy 2 mm lub o średnicy od 2,5 mm do 4 mm. Dzięki tym stopkom można przyszywać koraliki lub perły znajdujące się na sznurku. Koraliki przyszywamy ściegiem zygzakowym lub innym z kategorii ściegów ozdobnych.
7. **Do naszywania cekinów** — do naszywania cekinów, ozdobnych tasiemek oraz wszywania gumek lub silikonu w taśmie. Dzięki prowadnikowi całość można wykonać sprawnie i estetycznie. Prowadnik stopki przystosowany jest do tasiemki o stałej maksymalnej szerokości 7 mm, ale sprawdza się również przy węższych.
8. **Stopka do pikowania, haftowania i cerowania** — cały zestaw umożliwia pikowanie różnymi technikami. Nie będziemy ich teraz omawiać, bo jest to wyższy poziom, a ten poradnik ma być dla amatorów.

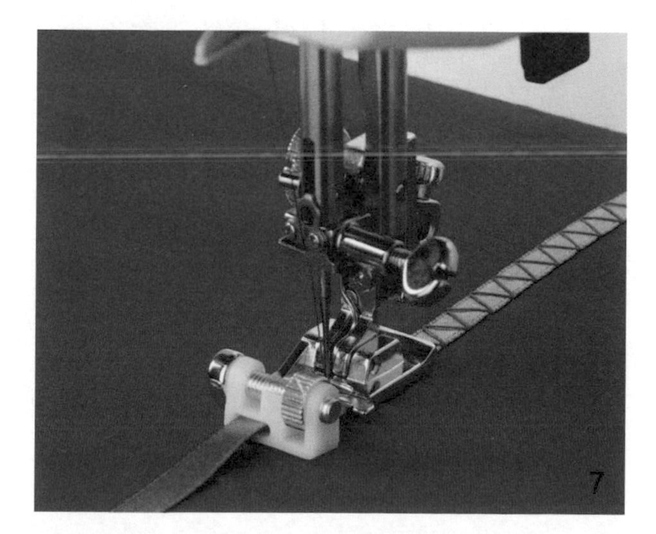
7

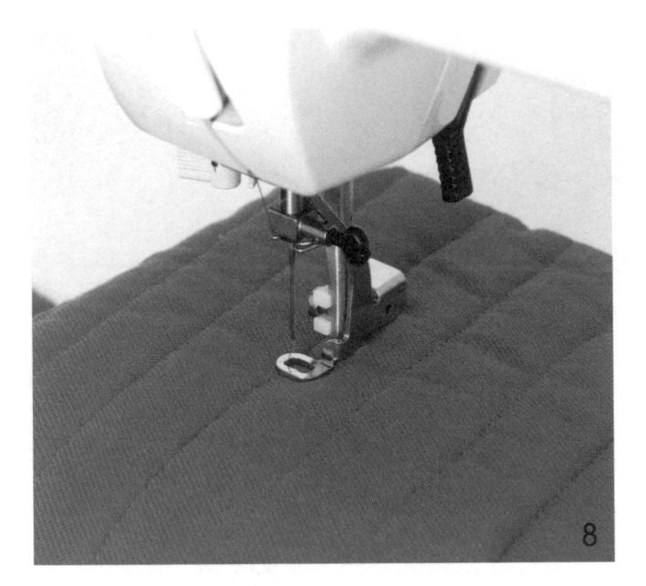

9. **Stopka do naszywania ozdobnych sznurków** — służy do naszywania ozdobnych sznurków na tkaninę. Możemy sprawić, aby były one widoczne i pełniły funkcję ozdobną. Do stopki można wprowadzić jeden, dwa lub trzy sznurki. Średnica maksymalna każdego sznurka to 1,5 mm. Stopka ta pozwala również na szycie igłą podwójną.
10. **Stopka do przyszywania guzików** — dzięki specjalnym gumowym wypustkom stabilnie przytrzymuje guzik w procesie szycia.
11. **Stopka do falbanek i zakładek** — specjalnie skonstruowana stopka do wykonywania falbanek i zakładek z regulacją częstotliwości i głębokości (szerokości) ich wykonywania. Możecie ustawić częstotliwość wykonywania falbanek co 1, 6 lub 12 uderzeń igły. Przy ustawieniu na 1 mamy gęsto zebrany materiał, przy 6 lub 12 zrobimy plisy. Falbany, plisy i marszczenia można wykonywać wzdłuż bądź w poprzek materiału. Rodzaj materiału wpływa oczywiście na jakość falban, dlatego ładniejsze falbany uzyskasz z miękkich materiałów.

To oczywiście nie wszystkie stopki, jakie znajdziecie na rynku, ale wszystkie, które moim zdaniem są warte uwagi i które mogą się Wam prędzej czy później przydać. Pamiętajcie też, że każda z tych stopek ma swoje parametry, szerokości i zastosowania.

10

11

Wybierając jedną z nich, koniecznie dobrze sprawdźcie, czy będzie pasowała do Waszej maszyny.

A na koniec przygody ze stopkami mała ściąga, czyli *must have* dla początkującego! Na Twojej liście zakupowej na pierwszym miejscu powinny znaleźć się poniższe stopki (o ile nie było ich w zestawie do maszyny):

1. Stopka uniwersalna
2. Stopka do zamków i zamków krytych
3. Stopka do obszywania dziurek
4. Stopka z regulowanym prowadnikiem
5. Do ściegu overlockowego
6. Do podwijania (obrębiania)

Cieszę się, że udało nam się przejść przez ten dość skomplikowany rozdział — jakże ważny i potrzebny! Zanim przejdziemy do pomiarów i robienia wykrojów, musicie jeszcze poznać podstawowe ściegi i szwy. Zapraszam do kolejnego rozdziału.

Rozdział 4.
Podstawowe szwy i ściegi

Dostaliście już dość dużą dawkę informacji, wynikającą z Waszych pytań na YouTube. Teraz chciałabym po kolei poopowiadać Wam trochę o tym, od czego zacząć i na co zwrócić uwagę przy wyborze odpowiedniego sprzętu. Mam nadzieję, że dotychczasowe informacje są jasne, możemy więc przejść do ściegów i szwów.

Ściegi wykonywane są za pomocą igły — ręcznie lub maszynowo. Różnicę między ściegami a szwami warto zobrazować przykładem. **Kiedy robimy fastrygę, marszczenie albo zaszewkę, wtedy mamy do czynienia ze ściegiem. Gdy natomiast chcemy połączyć ze sobą dwie części materiału, robimy szew.** Oczywiście każdy szew wykonany jest konkretnym ściegiem!

Ściegi możemy podzielić na ręczne i maszynowe oraz na podstawowe i ozdobne. Podstawowe ściegi maszynowe, z którymi możecie się spotkać, są następujące:

Wewnętrzne	Brzegowe	Ozdobne
przed igłą	obrzucany	sznureczkowy
fastryga	dziergany	łańcuszkowy
stebnowy		zygzakowy
za igłą		krzyżykowy
pętelkowy		marszczony
kryty		
pikowy		
wsteczny		

Szew to połączenie co najmniej dwóch części tkaniny ze sobą. Wszystko więc, co powstaje na maszynie poprzez łączenie, nazywane jest szwem. Szwy, tak samo jak ściegi, dzielimy na ręczne i maszynowe oraz na podstawowe i ozdobne. **Żeby dobrze odróżniać szwy, można je podzielić ze względu na miejsce występowania, czyli:**

— **ramieniowe**
— **boczne**
— **na rękawach**

Szwy, których będziecie najczęściej używać, to:

Szwy łączone	Szwy brzegowe
zwykły	obrębiający
nakładany	dekoracyjny
francuski	obrzucający
bieliźniany	
wpuszczany	
lamówka	

Szew zwykły

Inaczej nazywany prostym. To podstawowy szew, z którego będziecie korzystać podczas 90% pracy z maszyną. Szew ten może być zaprasowany (zszywacie ramię obrzucone na overlocku łącznie i zaprasowujecie jeden szew na prawą stronę) lub rozprasowany (po zszyciu np. ramienia rozprasowujecie dwie krawędzie tkaniny). Najczęściej korzysta się z niego przy szwach ramieniowych i bocznych.

Jak szyjemy? Składamy brzegi materiału prawą stroną do prawej, przeszywamy na maszynie, rozprasowujemy lub zaprasowujemy szew i obrzucamy krawędzie na overlocku.

Szew nakładany

Ma zastosowanie głównie przy produkcji odzieży z dżinsu oraz ubrań sportowych.
Jak szyjemy? Składamy brzeg pojedynczego materiału do lewej strony na szerokość 2 cm, następnie nakładamy drugi materiał na szerokość złożenia i stebnujemy po prawej stronie na około 1 cm od krawędzi załamania. Wreszcie wykańczamy brzeg na overlocku — i gotowe.

Szew francuski

Stosowany jest zazwyczaj przy materiałach cienkich i przezroczystych, a także przy bieliźnie. Szew ten pozwala tak wykończyć krawędź, że z dwóch stron jest on zamknięty. Takie zastosowanie pozwala schować nieładne krawędzie, które wykończone w inny sposób byłyby widoczne.

Dzięki zastosowaniu szwu francuskiego wszystko jest ładnie schowane.
Jak szyjemy? Składamy brzegi materiału lewą stroną do lewej, przeszywamy materiał na około 0,3 cm od brzegu, następnie odwracamy materiał i sprasowujemy krawędź zszycia, w końcu przeszywamy ponownie drugi raz na lewej stronie na szerokość 0,5 cm.

Szew bieliźniany

Najczęściej spotykany jako szew konstrukcyjny w koszulach męskich oraz w bieliźnie.
Jak szyjemy? Układamy materiał prawą

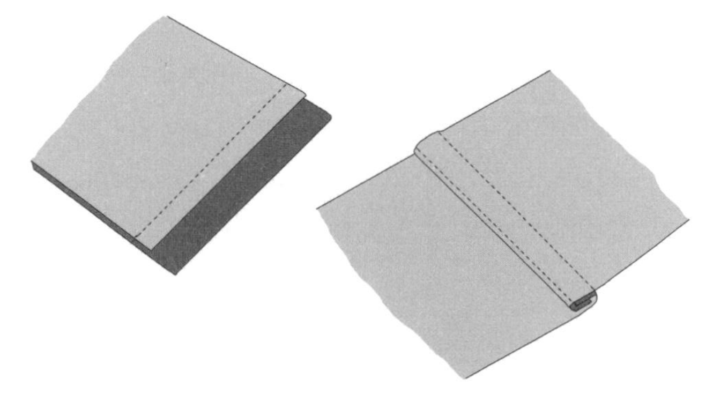

stroną do prawej, wysuwając dolny brzeg na szerokość 0,5 cm, następnie przeszywamy materiał na szerokości 0,5 cm (licząc od krawędzi górnej tkaniny). Teraz przekładamy materiał na płasko, zaprasowujemy zszycie i podwijamy ten brzeg, który bardziej wystaje. Przeszywamy wzdłuż linii załamania — i gotowe.

Szew wpuszczany

Z takim szwem możecie spotkać się np. przy wszywaniu karczka do koszuli.
Jak szyjemy? Składamy trzy warstwy materiału: prawa strona do prawej i prawa do lewej, szyjemy maszyną na szerokość 0,5 cm i odwracamy zewnętrzne warstwy w przeciwnym kierunku. Gotowe! Szew powinien znaleźć się w środku, między dwiema warstwami materiału.

Szew lamówkowy

Szew lamujący używany jest do wykańczania szwów wewnętrznych i brzegów odzieży. Ma zadanie zdobnicze i zabezpieczające przed strzępieniem brzegów materiału, np. w szwach zwykłych. Najczęściej wykorzystujemy lamówkę przy wykończeniu dekoltu.

Szew obrębiający

Jak sama nazwa wskazuje, służy do wykańczania brzegu tkaniny. Jest estetyczny i zabezpiecza przed strzępieniem się materiału.
Jak szyjemy? Zawijamy krawędź materiału dwa razy do środka do lewej strony i stebnujemy załamanie materiału.

Szew obrzucający

Wykonuje się go przede wszystkim na overlocku i stosuje do wykańczania i łączenia elementów odzieży z tkanin i dzianin.

O ściegach i szwach wiecie już prawie wszystko, a przynajmniej to, co jest Wam w tej chwili potrzebne. To by było chyba wszystko, jeśli chodzi o część teoretyczną!

Kochani, pora wreszcie przejść do działania! Ogrom informacji, które znajdziecie w tej książce, sprawi, że szycie okaże się banalne! I nie przyjmuję odmowy ani marudzenia, że „ja czegoś jeszcze nie wiem".

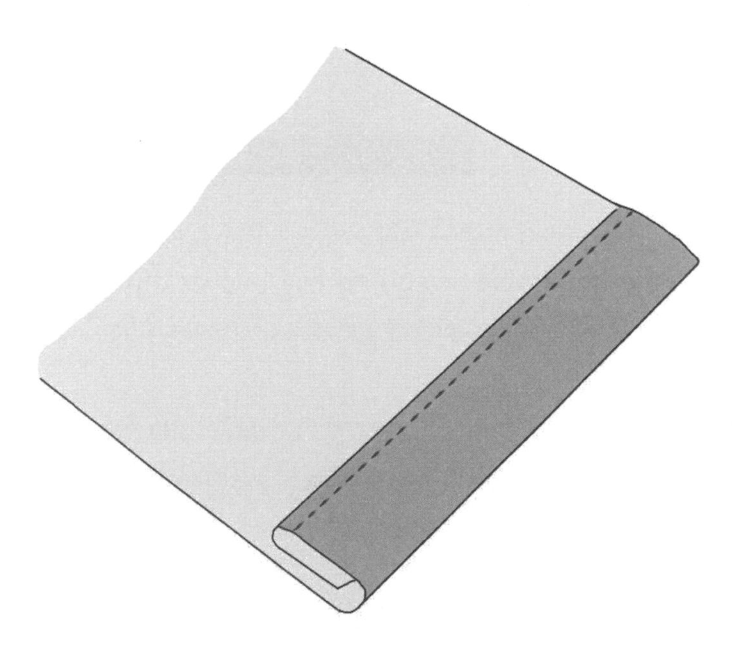

MIEJSCE NA TWOJE NOTATKI

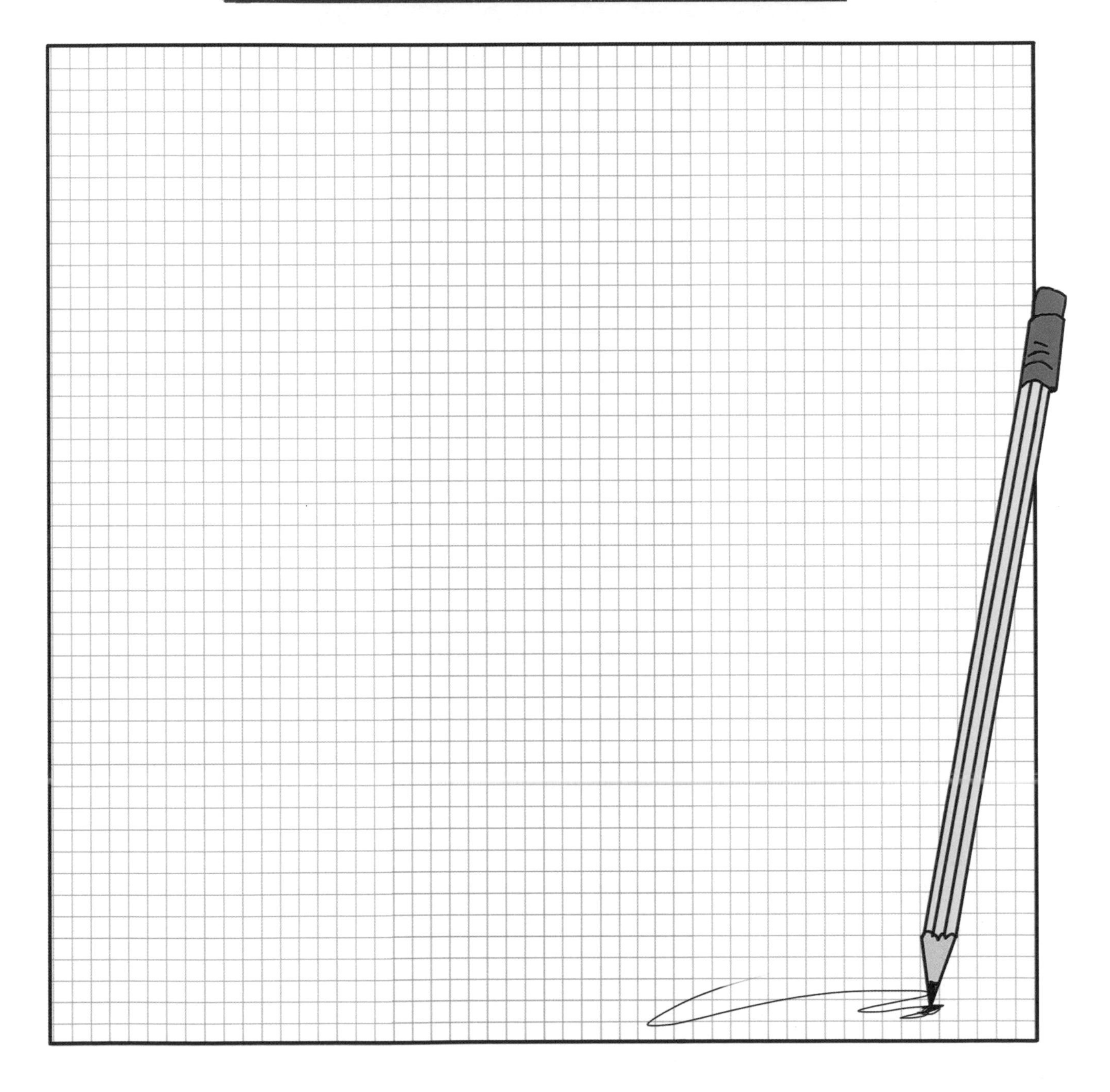

Rozdział 5.
Materiały

Teraz, kiedy o podstawach szycia wiecie już wszystko, czas zacząć działać! Czy w tym momencie pojawiło się pytanie: „Zaraz, zaraz, zaraz! Przecież nie mam jeszcze materiałów! Gdzie je kupić, jakie wybrać?”.

Po dawce szyciowych informacji czas na mały przewodnik po tkaninach, bo to właśnie od nich w dużej mierze zależy powodzenie Waszego projektu. **Jak się okaże, dobór odpowiedniej tkaniny nie jest wcale prosty.** Bardzo często spotykam się z pytaniami: gdzie kupuję tkaniny, jak ich szukam, jaką trzeba wybrać na przykład na spodnie, a jaką na sukienkę. Zazwyczaj odpowiadam, że z każdej tkaniny można uszyć wszystko, co się chce, wystarczy wizja i chęci. Prawda jest jednak taka, że warto poznać podstawowe typy tkanin i wiedzieć, którą do czego wykorzystać, żeby się dobrze szyła, układała i nosiła. Włókna, z których tworzone są tkaniny, dzielimy na włókna naturalne i chemiczne.

Tkanina zawsze ma swoją prawą i lewą stronę oraz brzeg, nazywany krajką. To właśnie po kolorze krajki możecie poznać, z jakiego włókna została zrobiona dana tkanina.

I tak kolor:

— biały — bawełna
— niebieski — wełna
— czerwony — poliester, elana
— zielony — akryl, anilana
— żółty — argona, textra, merona
— szary — nylon

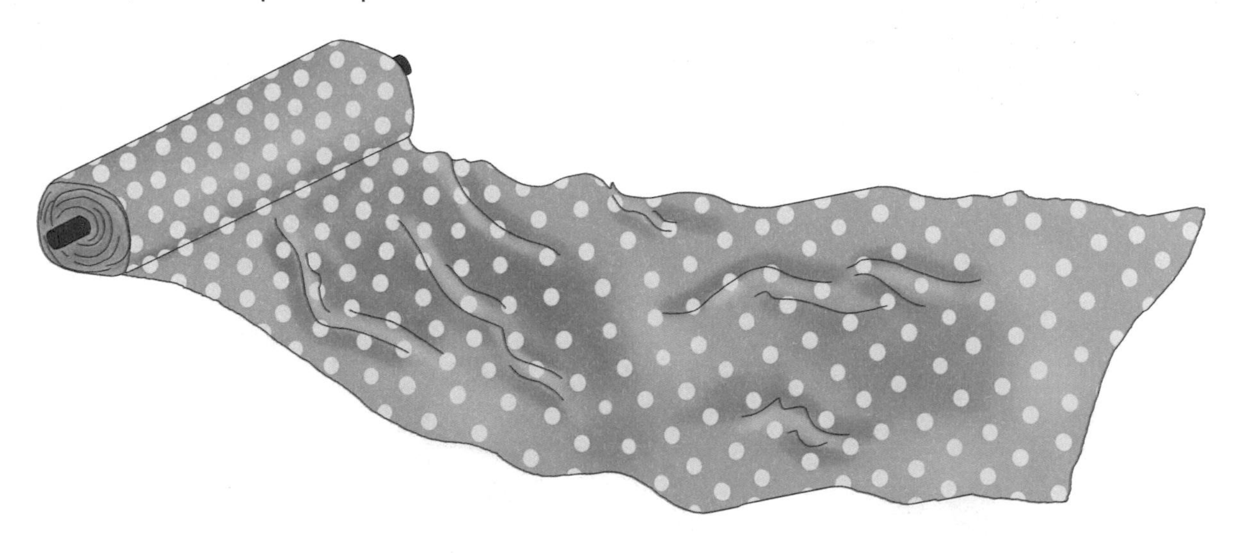

Wady i zalety włókien naturalnych

Zalety	Wady
Nie elektryzują się	Wolno schną
Trzymają ciepło	Ciemne kolory mają słabszą trwałość
Są odporne na ścieranie	Gniotą się
Dobrze się barwią	Nie są odporne na roztocze i pleśnie
Nie mechacą się	Mogą się kurczyć (np. wełna)
Mają dobrą higroskopijność (nasiąkają wodą, ale nie przemakają)	Niektóre rodzaje ze względu na swoje właściwości (np. len jest sztywny) mogą się gorzej szyć
Nie kurczą się	W miejscach złożenia mogą ulegać zniszczeniom
Są wytrzymałe	Mogą się wyciągać (np. wełna)

Len
Wełna
Bawełna
Jedwab

Te informacje mogą wydawać się Wam dziwne i niepotrzebne. Ja też tak kiedyś myślałam. Szkoda, że nie widzieliście mojej miny, kiedy na zajęciach z materiałoznawstwa paliliśmy próbki tkanin, uczyliśmy się o właściwościach poszczególnych włókien oraz ich odróżniania.

Wady i zalety włókien chemicznych

Zalety	Wady
Bardzo dobrze się barwią	Gniotą się
Szybko schną	Elektryzują się
Są łatwe w konserwacji	Nie są higroskopijne
Można je poddawać recyklingowi	Są bardzo wrażliwe na temperaturę
Są odporne na pleśnie i mole	Mogą się bardzo kurczyć
Są odporne na światło	Można je prać tylko w niskich temperaturach
	Są mało wytrzymałe
	Pilingują się, czyli mechacą

Wiskoza

Poliester

Wtedy wydawało mi się to nietrafionym pomysłem. Zamiast uczyć się tych wszystkich nazw, wolałam projektować i szyć. Szybko się jednak okazało, że bez tego ani rusz. Piszę Wam o tym nie bez przyczyny. Długo się zastanawiałam, jak w krótki, ale treściwy sposób przekazać najpotrzebniejsze informacje. Najprościej byłoby po prostu wypisać nazwy tkanin i dopasować je do poszczególnych ubrań, ale nie o to w tym wszystkim chodzi.

Jeśli na początku swojej drogi z szyciem zapoznacie się z podstawami, stworzycie solidne fundamenty swojej wiedzy, to wierzcie mi — w przyszłości będzie to procentowało.

Ach, mądre te moje wywody, jak się je tak czyta... Ale z doświadczenia wiem, że to działa, dlatego pomęczcie się chwilę ze mną, a Wasze ciuchy będą idealnie dobrane.

Zrobiłam dla Was spis tkanin, które najczęściej możecie spotkać w sklepach, a pewnie nie wiecie, że się akurat tak nazywają...

Zdjęcie	Materiał	Zastosowanie	Możliwe włókna	Cechy charakterystyczne
	batyst	letnie bluzki sukienki koszule	bawełna len poliester	Lekka, delikatna tkanina z połyskiem
	sztruks	płaszcze kurtki koszule marynarki spodnie spódnice	bawełna wiskoza bawełna + wiskoza	Prążkowana faktura, miękki w dotyku, mało odporny na tarcie
	adamaszek	odzież wierzchnia marynarki spódnice	bawełna jedwab	Tkanina o żakardowym splocie, miękki chwyt
	dżins	spodnie katany sukienki spódnice	bawełna bawełna + len	Prawa strona ma zawsze ciemniejszy kolor niż lewa, jest prążkowana, sztywny chwyt
	gabardyna	marynarki spodnie garnitury sukienki	bawełna wełna bawełna + poliester	Ukośne prążki, materiał dobrze zachowuje formę, nie gniecie się
	kreton	odziehż dziecięca bluzki damskie sukienki	bawełna poliester	Sztywniejszy chwyt, tkanina prawie zawsze drukowana
	oxford	Męskie koszule	bawełna bawełna + poliester	Faktura drobnej kostki, dobrze się stebnuje i prasuje, gładka powierzchnia z niewielkim połyskiem
	popelina	spodnie szorty spódnice	bawełna poliester	Na tkaninie widoczne poprzeczne prążki

Zdjęcie	Materiał	Zastosowanie	Możliwe włókna	Cechy charakterystyczne
	aksamit	sukienki suknie wieczorowe suknie ślubne spódnice	bawełna nylon poliester	Jedna strona jest gładka, druga z lekkim meszkiem
	filc	broszki naszyjniki torebki portfele nakrycia głowy płaszcze	wełna poliester	Sztywny, gruby, obie strony wyglądają tak samo, łatwy do formowania i modelowania, brzegi materiału nie strzępią się
	woal	letnie sukienki i bluzki	bawełna wełna bawełna + poliester	Miękka powierzchnia z lekkim meszkiem
	krepon	bluzki topy sukienki spodnie żakiety	bawełna bawełna + poliester poliester jedwab	Lekko przezroczysty, powierzchnia pomarszczona
	flanela	garnitury spodnie koszule	wełna bawełna poliester	Drapana prawa strona, miękki chwyt, łatwa w krojeniu i szyciu
	polar	kurtki bluzy	poliester PET (tworzony z butelek plastikowych)	Gruby, ciepły, o miękkim chwycie
	welur	zabawki kostiumy bluzki sweterki	poliester bawełna bawełna + poliester	Miękka, gruba tkanina, pod spodem gładka, z wierzchu z włosem
	muślin	bluzki bielizna	bawełna	Miękka w dotyku, o gładkim splocie

Zdjęcie	Materiał	Zastosowanie	Możliwe włókna	Cechy charakterystyczne
	sukno	koszule bluzki sukienki	bawełna jedwab, wełna bawełna + poliester	Miękki chwyt, gładka powierzchnia, lekki połysk
	loden	okrycia wierzchnie garsonki	wełna wełna + wiskoza wełna + poliester	Gęsto tkany, matowy o miękkim chwycie, mogą powstawać plamy po wodzie, jest łatwy w szyciu
	tweed (np. kurza stopka)	marynarki garnitury okrycia wierzchnie	wełna wełna + wiskoza akryl + poliester	Charakterystczna tekstura, szorstki chwyt, kolorowe wzory
	szyfon	koszule damskie bluzki damskie halki	jedwab poliester wiskoza	Lekki, przezroczysty, połyskliwy
	skóra/skaj	odzież damska kurtki płaszcze	–	Elastyczna, giętka, garbowana powierzchnia
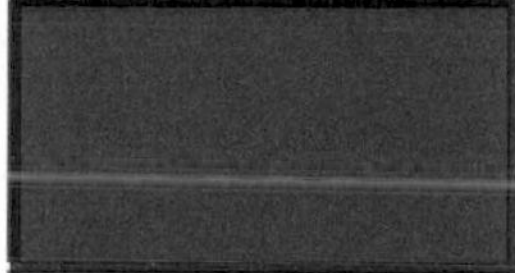	żorżeta	eleganckie bluzki, sukienki	jedwab wiskoza poliester + wiskoza	Przejrzysty, miękki, lekko ziarnista faktura
	satyna	suknie wieczorowe, damskie bluzki suknie ślubne	poliester wiskoza jedwab	Lśniąca, gładka powierzchnia, miękki chwyt, układa się w fałdy
	lama	garnitur spódnica	poliester poliamid	Silny połysk, metaliczna powierzchnia

Zdjęcie	Materiał	Zastosowanie	Możliwe włókna	Cechy charakterystyczne
	zamsz	kurtki płaszcze spódnice	bawełna bawełna + poliester poliester	Elastyczny, giętki, faktura podobna do weluru
	tafta	spódnice sukienki galowe elegancka damska odzież	jedwab poliester	Powierzchnia o jedwabistym połysku z poprzecznym prążkowaniem
	koronki	suknie ślubne bluzki elementy, np. w bluzce	poliester jedwab bawełna	Nie gniotą się, faktura koronek sprawia, że szwy się gubią
	dżersej	T-shirty bielizna piżamy nocne koszule sweterki sukienki	bawełna + poliester wełna poliester wiskoza	Miękki, łatwo dopasowuje się do ciała, karbowany spód, gładki wierzch

Zdjęcia tkanin: Hurtownia Kameleon *tkaninysklep.pl*

Teraz, kiedy poznaliśmy już tkaniny, czas przyjrzeć się dzianinom. Czym się różnią od tkanin? Do czego można je stosować? I na co zwracać uwagę przy ich kupnie?

Mała podpowiedź: Podstawowa różnica między tkaniną a dzianiną to proces produkcji. Tkanina powstaje poprzez tkanie. Jest to proces, podczas którego przeplatane są ze sobą minimum dwa systemy nitek. Natomiast dzianiny, jak sama nazwa wskazuje, powstają poprzez dzianie. Polega to na formowaniu oczek z jednej lub wielu nitek.

Tkaniny i dzianiny mamy już w jednym palcu. Zostały nam jeszcze podszewki, które wbrew pozorom też są dość ważnym elementem naszej odzieżowej układanki.
W końcu, jeśli potraficie już dobrze dobrać tkaninę, np. na garnitur, to dobrze byłoby też umieć dopasować do tego wyrobu odpowied-

nią podszewkę, która nie skurczy się w praniu, nie wyciągnie i nie zdeformuje konstrukcji ubrania, prawda?

Funkcję podszewek mogą też pełnić materiały, które na co dzień wykorzystujemy jako tkaniny zasadnicze (zobacz słownik), np. aksamit, płótno, kreton, dzianina, a nawet wełna. Jednak do standardowych podszewek zaliczamy te zrobion w 100% z bawełny oraz wiskozowe lub poliestrowe.

Zalety	Wady
Są szybciej wytwarzane niż tkaniny	Są podatne na wyciąganie się
Są tańsze w produkcji	Nie dają ochrony przed wiatrem
Lekkie	Ulegają odkształceniom (np. wypchane kolana w spodniach)
Elastyczne	Brzegi się zawijają
Są miękkie, dzięki czemu dobrze dopasowują się do ciała	Mogą się kurczyć
Dobrze się barwią	
Szybko schną	

Uf! Udało się przebrnąć przez teorię. Wiecie już, jaki materiał wybrać i na co zwrócić uwagę, ale gdzie go szukać? Tutaj propozycji jest wiele, zaczynając od lokalnych sklepów z tkaninami (chociaż wiem, że jest ich coraz mniej, a te, które się jeszcze ostały, miewają w asortymencie stare, mniej modne tkaniny), poprzez stoiska w marketach, a na internecie kończąc. Sklepów online z tkaninami jest ogromna ilość i każdy oferuje szeroki wybór towaru. Wybierając tkaninę, koniecznie zwracajcie uwagę na skład, gramaturę, szerokość materiału i ilość, którą kupujecie. Ważne jest, czy zamawiacie 0,5 metra, czy cały metr bieżący.

Zdjęcie	Rodzaj	Zastosowanie
	satyna	odzież sportowa
	bawełna	marynarki sukienki płaszcze torby męskie spodnie
	wełna	okrycia wierzchnie
	poliester	płaszcze sukienki marynarki spodnie męskie
	wiskoza	płaszcze sukienki marynarki spodnie męskie torby
	dzianina	odzież sportowa pumpy getry kocyki

Ja mam swoje cztery ulubione miejsca w sieci, do których zaglądam codziennie, a potem — jak na zakupoholiczkę przystało — wyczekuję tylko kuriera z nowymi tkaninami.

Co to za miejsca?

Szeroki wachlarz tkanin i dzianin wysokiej jakości, zarówno online, jak i stacjonarnie, oferuje w Poznaniu sklep *fabryq.pl*. Każdy, kto wejdzie do tego sklepu, zafascynuje się bezpowrotnie i nie będzie chciał wyjść!

Można tam dostać oczopląsu, ale wybór tkanin jest rzeczywiście niesamowity. Zależnie od tego, czy szukacie tkaniny na pościel dla dziecka, na sukienkę, na marynarkę albo tiulową spódnicę, zawsze znajdziecie coś dla siebie. Jeśli nie jesteście z Poznania, możecie buszować online i kupować nowe tkaniny na *fabryq.pl.*

Moim drugim ulubionym sklepem (choć zaglądam do niego rzadziej) jest niemiecki *spoonflower.com*, który oferuje świetne autorskie wzory tkanin — od bawełny po jedwabie. Jedynym minusem tego miejsca jest cena. Za metr bawełny trzeba zapłacić około 100 zł, co w naszych polskich realiach jest sporym wydatkiem. Nie polecałabym Wam też szycia swoich pierwszych rzeczy właśnie z tkanin z tego sklepu, bo jeśli coś nie wyjdzie od razu, to stracicie sporo pieniędzy.

Dlatego na początek lepiej zrobić tańsze zakupy, ale mieć jednocześnie szybki dostęp do nowości.

Jednak ci z Was, którzy wybiegają bardziej w przyszłość i dla których szycie nie jest obce, mogą pomyśleć o własnych tkaninach. Jeszcze jakiś czas temu stworzenie dobrej jakościowo tkaniny z własnym wzorem w małej ilości było nie do pomyślenia.

Duże drukarnie i producenci tkanin w Polsce (nie wiem, czy wiecie, ale w naszym kraju jest kilka firm — głównie w Białymstoku — które produkują tkaniny na całą Europę, między innymi dla Ikei) oferowali tylko masową produkcję. Tworząc swoją pierwszą poważną komercyjną kolekcję, musiałam zamówić przeszło 500 metrów tkanin, co (jak się pewnie orientujecie) jest ogromnym przedsięwzięciem i na pewno nie dla amatora.

ALE! Na szczęście nie tak dawno powstała drukarnia internetowa, w której każdy może zamówić własny wzór (lub kupić już istniejący) i wydrukować np. tylko 1 metr tkaniny. Chodzi oczywiście o drukarnię *cottonbee.pl.*

Wspominam o niej nie po raz pierwszy. Często w swoich filmach prezentuję rzeczy uszyte właśnie z tkanin nadrukowanych przez cottonbee. Co więcej, w tej książce, zarówno w rozdziałach, jak i na filmach, możecie zobaczyć tkaniny wyprodukowane właśnie przez cottonbee na podstawie moich autorskich wzorów. Nie ma nic lepszego niż noszenie ubrań nie dość, że uszytych własnoręcznie, to jeszcze z własnych, autorskich wzorów i tkanin. Sam proces powstawania jest bardzo prosty i intuicyjny, więc na pewno każdy sobie z nim poradzi.

Internet to nieograniczone miejsce inspiracji. Wystarczy dobrze poszukać, a na pewno znajdziecie sklep z tkaninami, który będzie Wam odpowiadał pod każdym względem. O inspiracjach jeszcze pomówimy w kolejnym rozdziale. Teraz wspomnę tylko o coraz bardziej popularnych grupach poświęconych tkaninom na portalach społecznościowych. Nie dość, że znajdziecie tam ciekawe, niespotykane materiały (w większości bawełniane)

oraz dzianiny w intrygujące wzory, to jeszcze możecie „składać się" na zamówienie, dzieląc koszty między kilka osób. Dzięki temu szybko i tanio możecie mieć świetny materiał, z którego już tylko pozostaje uszyć coś nowego. Grupy tego typu, z których ja osobiście korzystam, to:

— **Materiałowe Cuda** — *https://www.facebook.com/groups/materialowecuda*
— **Tanie Tkaniny** — *https://www.facebook.com/groups/TanieTkaniny*
— **HAPPY FABRIC PL** — *https://www.facebook.com/groups/720079021370768*
— **Super Tkaniny** — *https://www.facebook.com/groups/430714227093559/*

Wybór tkaniny lub dzianiny nie jest czymś oczywistym i bardzo często zajmuje najwięcej czasu, ale jak już wspomniałam na początku tego rozdziału, to właśnie tkanina zapewnia prawie 90% sukcesu. Nawet bardzo dobrze skrojona i uszyta marynarka nie będzie się dobrze układała i nie zrobi na nas dobrego wrażenia, jeśli będzie uszyta ze źle dobranej tkaniny lub podszewki. Tak jak ważny jest dobór nici czy igieł do szycia, tak i tkanina odgrywa ważną rolę, więc nie zapominajcie o niej i stawiajcie na włókna naturalne!

Na koniec jeszcze mała podpowiedź na temat ilości. Często pytacie mnie, ile materiału kupić na sukienkę, marynarkę czy spodnie. Reguła jest prosta. Przy materiałach jednolitych, czyli bez wzorów — mierzycie długość całkowitą wyrobu, który chcecie uszyć— i dodajecie do niego 10% zapasu. Dla przykładu — szyjemy sukienkę z długim rękawem, zakładamy, że będzie miała 80 cm długości, rękaw 50 cm + 10%, czyli wychodzi nam 132 cm i tyle będziecie potrzebować materiału.

Pamiętajcie, że każdy materiał ma swoją szerokość, zazwyczaj jest to 140 cm, wtedy musicie sprawdzić, czy przypadkiem rękaw nie zmieści się na długości sukienki, zwłaszcza jeśli jest to rękaw krótki, wtedy starczy Wam 1 metr materiału. Na materiałach jednolitych, np. dzianinach, można, a nawet trzeba niektóre elementy kroić po szerokości materiału, np. pasek, ściągacze, wtedy można nieco zaoszczędzić na długości.

Przy materiałach, które mają wzory kierunkowe, sprawa wygląda trochę inaczej. Materiału będzie Wam potrzeba nieco więcej, bo można go kroić tylko po nitce prostej, czyli wzdłuż. Tutaj jeśli chcecie uszyć sukienkę to musicie policzyć długość sukienki (80) + rękaw (50) + 20% zapasu, czyli potrzebne będzie 1,5 metra materiału. Czyli upraszczając! Szyjemy garnitur? Liczymy długość marynarki + długość rękawa + długość spodni + w zależności od materiału 10% lub 20% zapasu i gotowe.

www.FabryQ.pl
Przepisy szyciowe

Rozdział 6.
Wykroje

Teoria teorią, ale kiedyś trzeba wreszcie przejść do działania. Podejrzewam, że tak, jak ja zostawiłam sobie pisanie tego rozdziału na sam koniec, Wy także przeczytaliście już wszystko i spotykamy się dopiero tutaj. Chyba że są też tacy, którzy ominęli resztę i od razu przeszli do szycia. Tak też można. Ale do sedna!

W tym rozdziale pokażę Wam, jak dobrze robić wykroje na własne wymiary. Z tym zazwyczaj mamy największy problem, dlatego, żeby lepiej wytłumaczyć Wam, o co w tym wszystkim chodzi, nagrałam do poszczególnych wykrojów filmy, na których pokazane jest krok po kroku, co należy robić.

W końcu znacie mnie z vloga szyciowego, więc nie byłabym sobą, gdybym ograniczyła się jedynie do słowa pisanego. Odsyłam więc do filmików i szczerze zachęcam do ich oglądania.

Zanim jednak rozpoczniecie rysowanie poszczególnych form odzieży, musicie poznać swoje wymiary i wiedzieć, jak dobrze się zmierzyć, dlatego najpierw zrobimy miarę, a dopiero później wykroje.

Pomiary to jedna z najważniejszych rzeczy, bo to dzięki nim możecie dobrze przenieść poszczególne odcinki swojego ciała na wykrój, z którego później powstanie gotowy wyrób. Zanim przejdziecie do zdjęcia własnej miary, zerknijcie na tabele wymiarów, które przygotował Centralny Ośrodek Badawczo-Rozwojowy Przemysłu Odzieżowego w Łodzi.

Tabele wymiarów dla kobiet zostały podzielone na cztery typy — A, B, C i D. Umieszczono w nich wymiary podstawowe oraz szczegółowe, które w konfekcji przemysłowej są niezbędne do wykonania podstawowych konstrukcji, takich jak na przykład bluzka czy spódnica. Po wymiarach możecie zobaczyć, jak zmieniają się poszczególne rozmiary podczas stopniowania. Pokazuję Wam te tabelki dla przykładu, bo może akurat ktoś z Was będzie miał podobne wymiary i z tego skorzysta. Pamiętajcie jednak, że przy indywidualnym szyciu na miarę te tabelki nie mają już znaczenia, bo każdy z nas jest inny.

Podział tabel:
— Kobiety — A, B, C, D — powyżej 18 lat
— Mężczyźni — A, B, C, D — powyżej 18 lat
— Dzieci — 0 — 2 lata, 2 — 6 lat
— Młodzież — 6 —11 lat, 11 — 15 lat, 15 —18 lat

Wymiary umieszczone w tabelach są wykorzystywane w produkcji odzieży masowej, ale zaleca się również korzystanie z nich przy szyciu na miarę — chociażby dla porównania własnych wymiarów z pomiarami antropometrycznymi (zobacz słowniczek).

Typy figur u kobiet wyznaczone zostały na podstawie różnicy między obwodem klatki piersiowej a obwodem bioder. Różnica ta jest stała i zawsze wynosi:
— Typ A — 4 cm
— Typ B — 8 cm
— Typ C — 12 cm
— Typ D — 16 cm

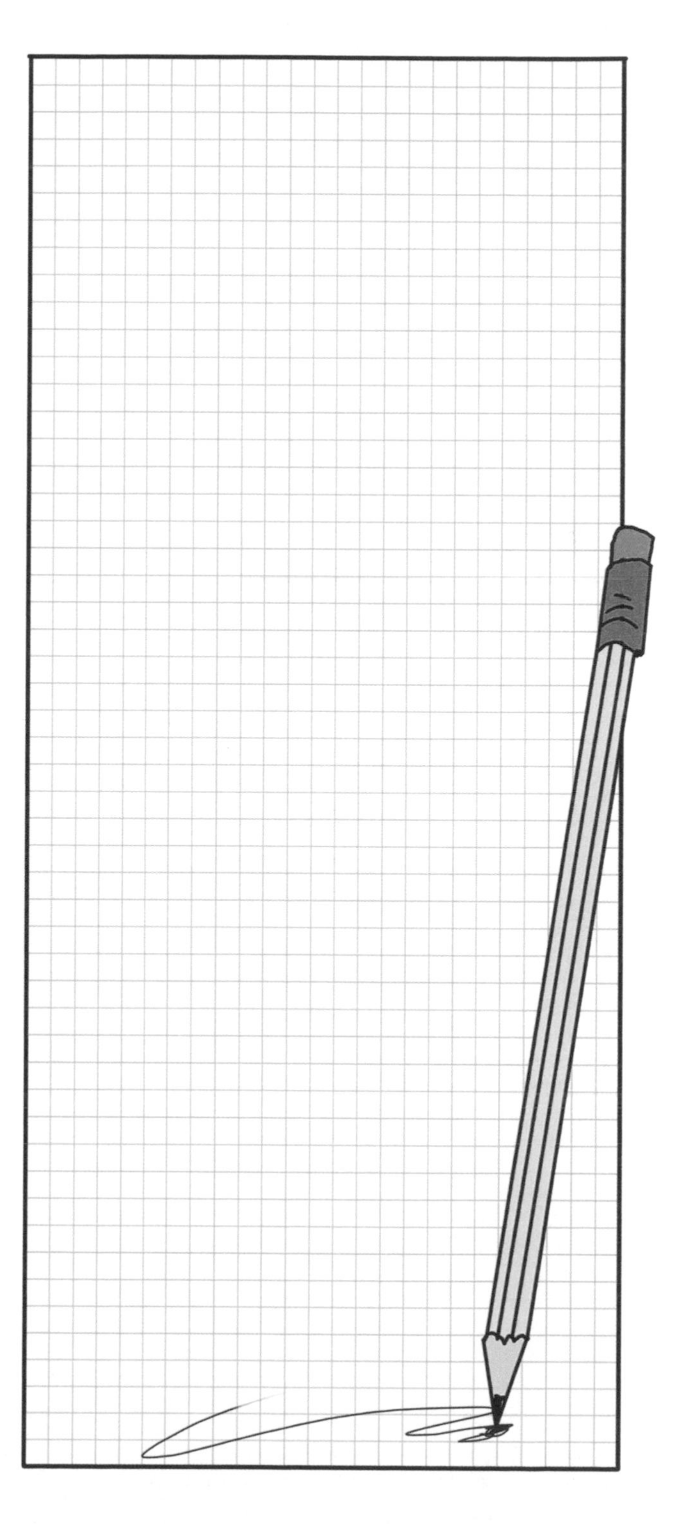

Wyciąg z tabeli wymiarów kobiet — typ A

L.p.	NAZWA WYMIARU	SYMBOL	WYMIARY W CM										STOPNIE*	
													ZWo	Opx
1	Wzrost	ZWo	158		164			170			176		6,0	
2	Obwód klatki piersiowej	opx	88,0	92,0	88,0	92,0	96,0	92,0	96,0	100,0	92,0	96,0	-	4,0
3	Obwód bioder	obt	92,0	96,0	92,0	96,0	100,0	96,0	100,0	104,0	96,0	100,0	-	4,0
4	Obwód pasa	ot	68,0	72,0	68,0	72,0	76,0	72,0	76,0	80,0	72,0	76,0	-	4,0
5	Obwód szyi	os	33,0	34,0	33,0	34,0	35,0	34,0	35,0	36,0	34,0	35,0	-	1,0
6	Łuk szerokości tyłu na wysokości piersi	XcXc	32,0	33,0	32,0	33,0	34,0	33,0	34,0	35,0	33,0	34,0	-	1,0
7	Szerokość pachy	PcPl	10,0	10,5	10,0	10,5	11,0	10,5	11,0	11,5	10,5	11,0	-	0,5
8	Łuk szerokości przodu przez piersi	X1X1	36,0	38,0	36,0	38,0	40,0	38,0	40,0	42,0	38,0	40,0	-	2,0
9	Łuk długości przodu do piersi	SySvXp	32,5	33,6	32,9	34,0	35,1	34,4	35,5	36,6	34,8	35,9	0,4	1,1
10	Łuk długości przodu przez piersi	SySvXpTp	48,4	49,1	49,8	50,5	51,2	51,9	52,6	53,3	53,3	54,0	1,4	0,7
11	Łuk długości pleców	SyTy	37,5	37,5	39,0	39,0	39,0	40,5	40,5	40,5	42,0	42,0	1,5	-
12	Łuk długości kończyny górnej	RvNv	54,0	54,0	56,0	56,0	56,0	58,0	58,0	58,0	60,0	60,0	2,0	-
13	Wysokość talii	ZTv	99,5	99,5	103,5	103,5	103,5	107,5	107,5	107,5	111,5	111,5	4,0	-
14	Wysokość krocza	ZUo	74,0	73,5	77,5	77,0	76,5	80,5	80,0	79,5	84,0	83,5	3,5	-0,5
15	Wysokość kolana	ZKo	44,0	44,0	46,0	46,0	46,0	48,0	48,0	48,0	50,0	50,0	2,0	-

* Stopnie to różnice wymiarów głównych między poszczególnymi rozmiarami

Wyciąg z tabeli wymiarów kobiet — typ B

L.p.	NAZWA WYMIARU	SYMBOL	WYMIARY W CM										STOPNIE*	
													ZWo	Opx
1	Wzrost	ZWo	158		164			170			176		6,0	
2	Obwód klatki piersiowej	opx	88,0	92,0	88,0	92,0	96,0	92,0	96,0	100,0	92,0	96,0	-	4,0
3	Obwód bioder	obt	96,0	100,0	96,0	100,0	104,0	100,0	104,0	108,0	104,0	108,0	-	4,0
4	Obwód pasa	ot	70,0	74,0	70,0	74,0	78,0	74,0	78,0	82,0	78,0	82,0	-	4,0
5	Obwód szyi	os	33,0	34,0	33,0	34,0	35,0	34,0	35,0	36,0	35,0	36,0	-	1,0
6	Łuk szerokości tyłu na wysokości piersi	XcXc	32,0	33,0	32,0	33,0	34,0	33,0	34,0	35,0	34,0	35,0	-	1,0
7	Szerokość pachy	PcPl	10,0	10,5	10,0	10,5	11,0	10,5	11,0	11,5	10,5	11,0	-	0,5
8	Łuk szerokości przodu przez piersi	X1X1	36,0	38,0	36,0	38,0	40,0	38,0	40,0	42,0	40,0	42,0	-	2,0
9	Łuk długości przodu do piersi	SySvXp	32,5	33,6	32,9	34,0	35,1	34,4	35,5	36,6	35,9	37,0	0,4	1,1
10	Łuk długości przodu przez piersi	SySvXpTp	48,4	49,1	49,8	50,5	51,2	51,9	52,6	53,3	54,0	54,7	1,4	0,7
11	Łuk długości pleców	SyTy	37,5	37,5	39,0	39,0	39,0	40,5	40,5	40,5	42,0	42,0	1,5	-
12	Łuk długości kończyny górnej	RvNv	54,0	54,0	56,0	56,0	56,0	58,0	58,0	58,0	60,0	60,0	2,0	-
13	Wysokość talii	ZTv	99,5	99,5	103,5	103,5	103,5	107,5	107,5	107,5	111,5	111,5	4,0	-
14	Wysokość krocza	ZUo	73,5	73,0	77,0	76,5	76,0	80,0	79,5	79,0	83,0	82,5	3,5	-0,5
15	Wysokość kolana	ZKo	44,0	44,0	46,0	46,0	46,0	48,0	48,0	48,0	50,0	50,0	2,0	-

* Stopnie to różnice wymiarów głównych między poszczególnymi rozmiarami

Wyciąg z tabeli wymiarów kobiet — typ C

L.p.	NAZWA WYMIARU	SYMBOL	WYMIARY W CM										STOPNIE*	
													ZWo	Opx
1	Wzrost	ZWo	158				164				170		6,0	
2	Obwód klatki piersiowej	opx	92,0	96,0	100,0	104,0	92,0	96,0	100,0	104,0	92,0	96,0	-	4,0
3	Obwód bioder	obt	104,0	108,0	112,0	116,0	104,0	108,0	112,0	116,0	104,0	108,0	-	4,0
4	Obwód pasa	ot	76,0	80,0	84,0	88,0	76,0	80,0	84,0	88,0	76,0	80,0	-	4,0
5	Obwód szyi	os	34,0	35,0	36,0	37,0	34,0	35,0	36,0	37,0	34,0	35,0	-	1,0
6	Łuk szerokości tyłu na wysokości piersi	XcXc	33,0	34,0	35,0	36,0	33,0	34,0	35,0	36,0	33,0	34,0	-	1,0
7	Szerokość pachy	PcPl	10,5	11,0	11,5	12,0	10,5	11,0	11,5	12,0	10,5	11,0	-	0,5
8	Łuk szerokości przodu przez piersi	X1X1	38,0	40,0	42,0	44,0	38,0	40,0	42,0	44,0	38,0	40,0	-	2,0
9	Łuk długości przodu do piersi	SySvXp	33,6	34,7	35,8	36,9	34,0	35,1	36,2	37,3	34,4	35,5	0,4	1,1
10	Łuk długości przodu przez piersi	SySvXpTp	49,1	49,8	50,5	51,2	50,5	51,2	51,9	52,6	51,9	52,6	1,4	0,7
11	Łuk długości pleców	SyTy	37,5	37,5	37,5	37,5	39,0	39,0	39,0	39,0	40,5	40,5	1,5	-
12	Łuk długości kończyny górnej	RvNv	54,0	54,0	54,0	54,0	56,0	56,0	56,0	56,0	58,0	58,0	2,0	-
13	Wysokość talii	ZTv	99,5	99,5	99,5	99,5	103,5	103,5	103,5	103,5	107,5	107,5	4,0	-
14	Wysokość krocza	ZUo	72,5	72,0	71,5	71,0	76,0	75,5	75,0	74,5	79,5	79,0	3,5	-0,5
15	Wysokość kolana	ZKo	44,0	44,0	44,0	44,0	46,0	46,0	46,0	46,0	48,0	48,0	2,0	-

* Stopnie to różnice wymiarów głównych między poszczególnymi rozmiarami

Wyciąg z tabeli wymiarów kobiet — typ D

L.p.	NAZWA WYMIARU	SYMBOL	WYMIARY W CM										STOPNIE*	
													ZWo	Opx
1	Wzrost	ZWo	158				164				170		6,0	
2	Obwód klatki piersiowej	opx	92,0	96,0	100,0	104,0	92,0	96,0	100,0	104,0	92,0	96,0	-	4,0
3	Obwód bioder	obt	108,0	112,0	116,0	120,0	108,0	112,0	116,0	120,0	108,0	112,0	-	4,0
4	Obwód pasa	ot	78,0	82,0	86,0	90,0	78,0	82,0	86,0	90,0	78,0	82,0	-	4,0
5	Obwód szyi	os	34,0	35,0	36,0	37,0	34,0	35,0	36,0	37,0	34,0	35,0	-	1,0
6	Łuk szerokości tyłu na wysokości piersi	XcXc	33,0	34,0	35,0	36,0	33,0	34,0	35,0	36,0	33,0	34,0	-	1,0
7	Szerokość pachy	PcPl	10,5	11,0	11,5	12,0	10,5	11,0	11,5	12,0	10,5	11,0	-	0,5
8	Łuk szerokości przodu przez piersi	XlXl	38,0	40,0	42,0	44,0	38,0	40,0	42,0	44,0	38,0	40,0	-	2,0
9	Łuk długości przodu do piersi	SySvXp	33,6	34,7	35,8	36,9	34,0	35,1	36,2	37,3	34,4	35,5	0,4	1,1
10	Łuk długości przodu przez piersi	SySvXpTp	49,1	49,8	50,5	51,2	50,5	51,2	51,9	52,6	51,9	52,6	1,4	0,7
11	Łuk długości pleców	SyTy	37,5	37,5	37,5	37,5	39,0	39,0	39,0	39,0	40,5	40,5	1,5	-
12	Łuk długości kończyny górnej	RvNv	54,0	54,0	54,0	54,0	56,0	56,0	56,0	56,0	58,0	58,0	2,0	-
13	Wysokość talii	ZTv	99,5	99,5	99,5	99,5	103,5	103,5	103,5	103,5	107,5	107,5	4,0	-
14	Wysokość krocza	ZUo	72,0	71,5	71,0	70,5	75,5	75,0	74,5	74,0	79,0	78,5	3,5	-0,5
15	Wysokość kolana	ZKo	44,0	44,0	44,0	44,0	46,0	46,0	46,0	46,0	48,0	48,0	2,0	-

* Stopnie to różnice wymiarów głównych między poszczególnymi rozmiarami

Teraz, kiedy już wiecie, jakie odcinki własnego ciała musicie zmierzyć, warto zerknąć na linie ciała i punkty pomiarowe.

Nasze ciało dzielimy na cztery główne linie:

— x — środkowa przednia (pionowa)

— y — środkowa tylna (pionowa)

— v — boczne (pionowa)

— T — talii (pozioma)

Pionowe linie ciała oznacza się małymi literami, poziome dużymi literami. Piszę o tym dlatego, abyście lepiej mogli zrozumieć te wszystkie skróty pomiarowe. Są one o tyle ważne, że przy tworzeniu wykrojów na własne wymiary będziecie musieli wiedzieć, że na przykład odcinek SyTy to łuk długości pleców, skąd się on wziął i gdzie go zmierzyć,

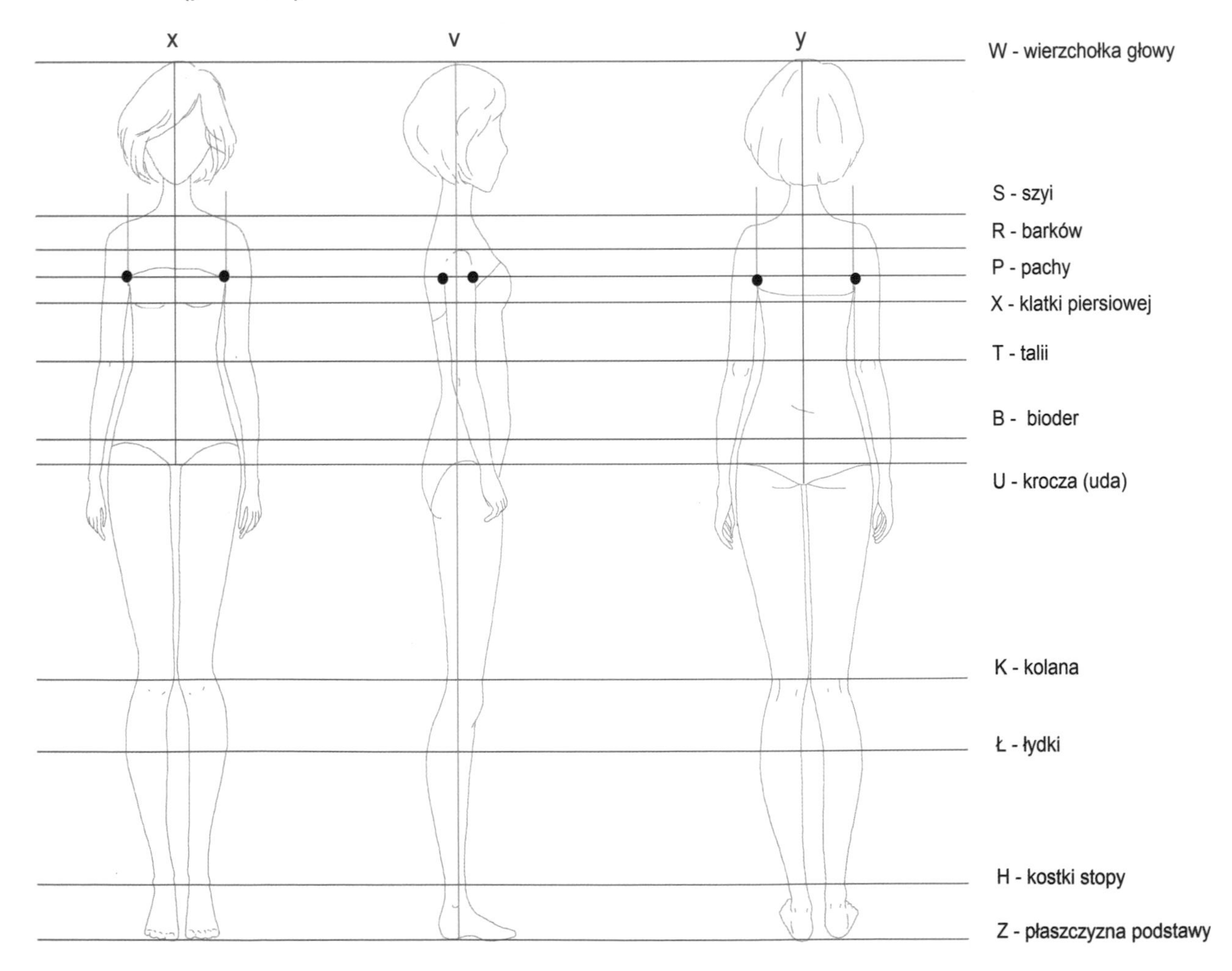

a potem zaznaczyć na wykroju. Może Wam się to w tej chwili wydawać skomplikowane, ale jeśli spokojnie przejdziecie przez ten podrozdział, później będzie już tylko z górki.

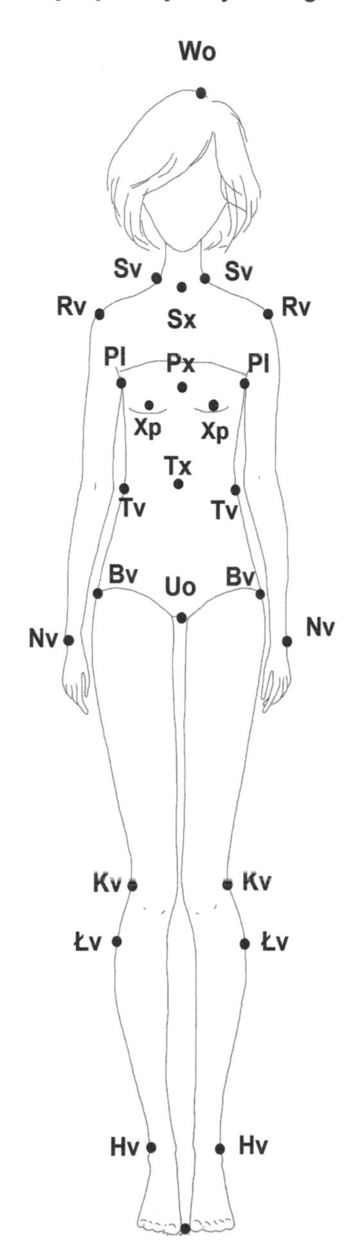

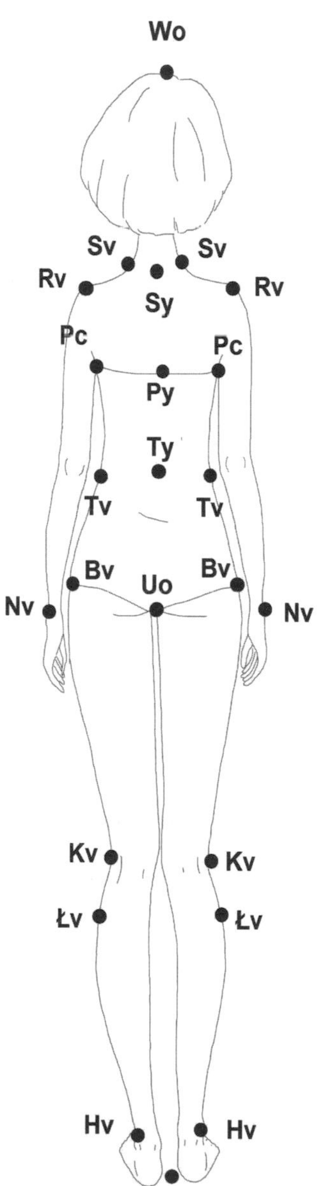

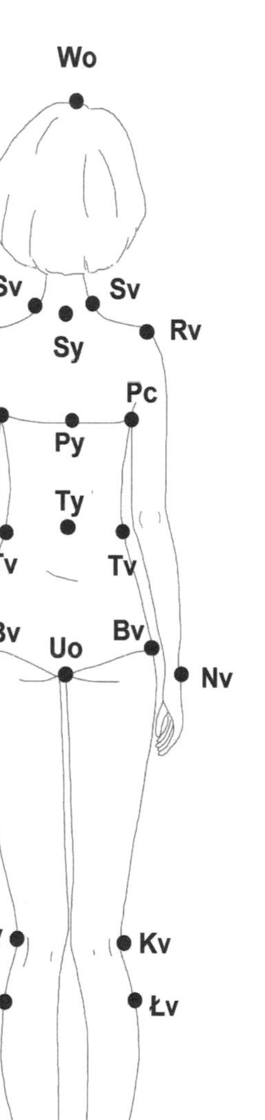

Pomiary dzielimy na:

1. Wysokości

(mierzymy od dołu do góry 1, 2, 3, 4)

— ZWo — wzrost

— ZTv — wysokość talii

— ZUo — wysokość krocza

— ZKo — wysokość kolana

2. Długości

(mierzymy od góry do dołu 5, 6, 7)

— TvHv — długość do kostki

— TvKv — długość do kolan

3. Obwody

— os — obwód szyi

— opx — obwód klatki piersiowej przez piersi

— ot — obwód pasa

— obt — obwód bioder

4. Szerokości

— RvRv — łuk szerokości barków

— XlXl — łuk szerokości przodu przez piersi

— PlPc — szerokość pachy

— Xc-Xc — łuk szerokości tyłu na wysokości piersi

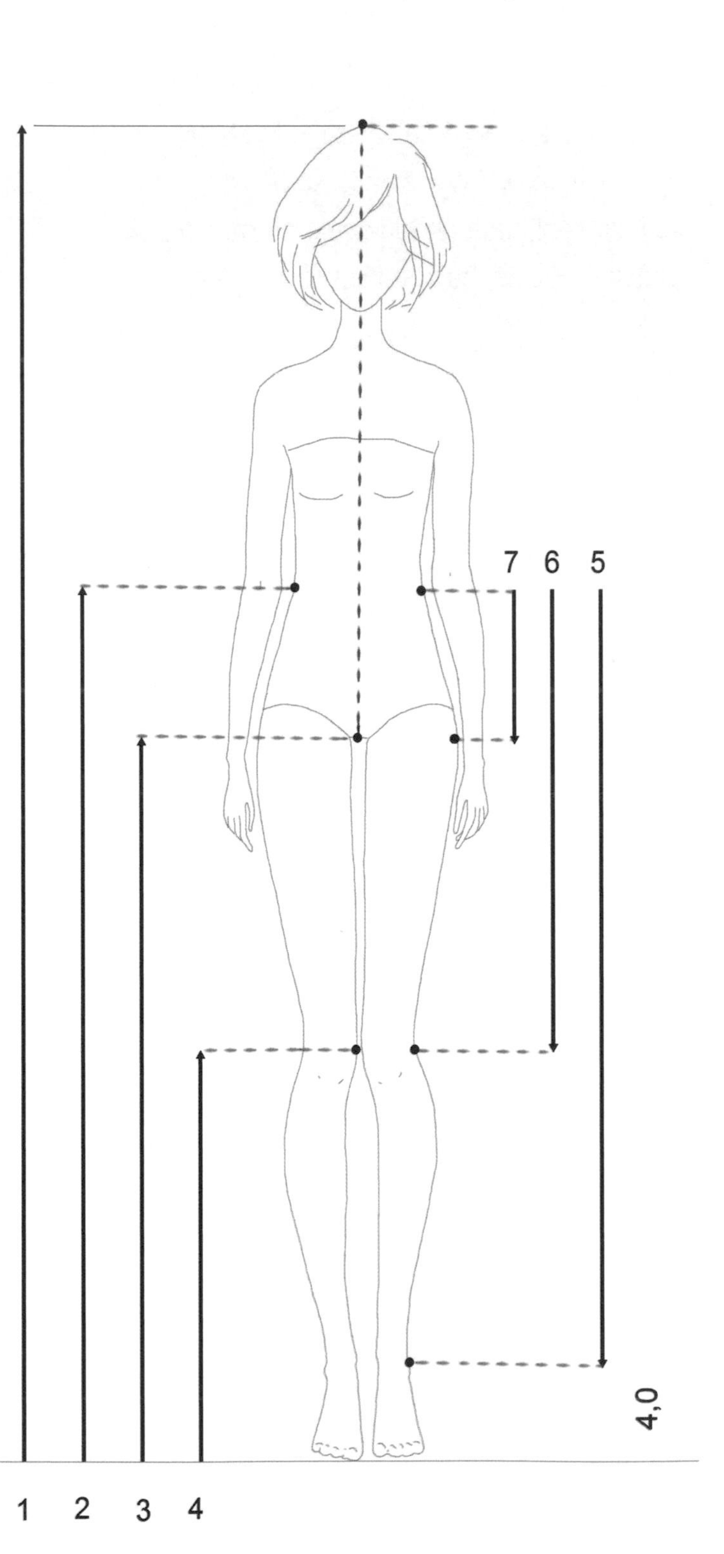

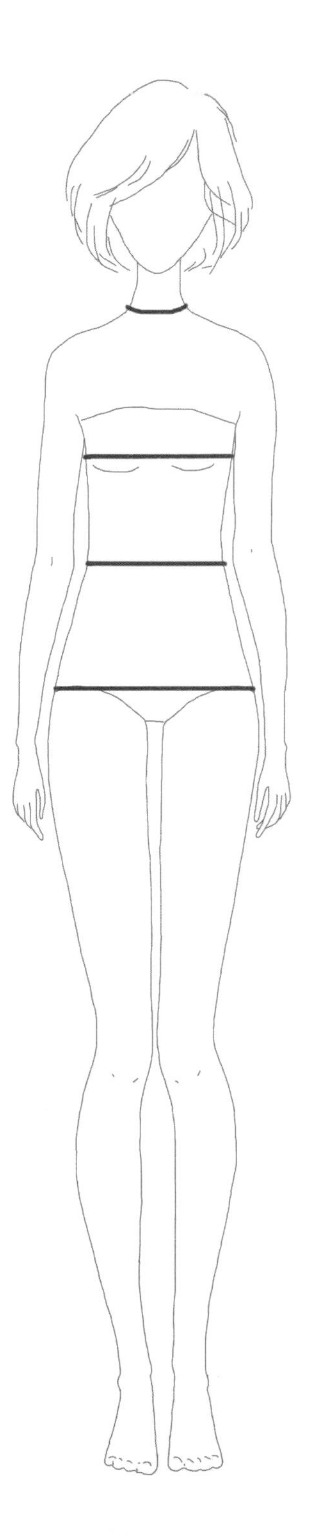

5. Łuki

— SyTy — łuk długości pleców
— RvNv — łuk długości kończyny górnej
— SySvXp — łuk długości przodu do piersi
— SySvXpTp — łuk długości przodu przez piersi do talii

6. Głębokości

— TvUv — głębokość krocza

No dobra, starczy tej teorii! Czas zdjąć własne wymiary i pomierzyć siebie. Jak to zrobić? Zaczynamy po kolei!

Wszystkie wykroje, jakie zobaczycie na filmach i poniżej, są zrobione na moje wymiary. Jeśli ktoś z Was ma obwód talii 72 cm i obwód bioder 96 cm, może śmiało pobrać gotowe wykroje i od razu szyć. Chciałam zrobić stopniowanie i umieścić dla Was wykroje na podstawowe rozmiary. Nie jestem niestety zawodowym konstruktorem i okazało się to zbyt skomplikowane jak na książkę dla początkujących. Zwłaszcza że chodzi w niej właśnie o to, aby uszyć coś samemu na własne wymiary, a jak wiecie, każdy z nas jest inny.

Symbol	Nazwa	Opis
ZWo	Wzrost	Wzrost mierzymy od dołu do góry, od samej podstawy aż do czubka głowy
os	Obwód szyi	Mierzymy tak, aby centymetr lekko opadał nam na kości barkowej, a z tyłu był powyżej karku
opx	Obwód klatki piersiowej przez piersi	Mierzymy przez środek piersi
ot	Obwód pasa	Aby sprawdzić, gdzie znajduje się Wasz pas (bo nie jest to miejsce Waszego pępka), warto zawiązać sobie gumkę lub centymetr w pasie i tam, gdzie wbije nam się najmocniej, czyli w najwęższym miejscu – mamy pas
obt	Obwód bioder	Biorąc tę miarę, musimy pamiętać o najszerszym miejscu bioder, wypukłości pośladków oraz brzucha
SyTy	Łuk długości pleców	Mierzymy od siódmego kręgu szyjnego aż do talii
RvRv	Łuk szerokości barków z tyłu	Barki mierzymy z tyłu od ramienia do ramienia
RvNv	Łuk długości ręki	Lekko uginamy rękę w łokciu i mierzymy od końca ramienia do punktu, w którym chcecie, aby koszula miała koniec
SySvXp	Łuk długości przodu do piersi	Mierzymy od siódmego kręgu szyjnego do tzw. gorsu, czyli brodawki piersiowej
SySvXpTp	Łuk długości przodu przez piersi	Mierzymy go tak samo jak łuk długości przodu do piersi, tylko pomiar kończymy na talii
XcXc	Łuk szerokości tyłu na wysokości piersi	Ten pomiar wykonujemy w tyle na wysokości piersi mniej więcej od pachy do pachy
PcPl	Szerokość pachy	Pomiar ten mierzymy poziomo, szerokość od przodu do tyłu
XlXl	Łuk szerokości przodu przez piersi	Mierzymy od pachy do pachy przez środek piersi

Czas więc pobrać miarę. Żeby było Wam łatwiej, możecie sobie zapisać swoje wymiary tutaj:

Bluzka

Szukaj podpowiedzi na płycie

W każdej szkole szycia, na kursach czy lekcjach prywatnych u krawców naukę robienia wykrojów praktycznie zaczyna się od wykroju podstawowej formy bluzki. Taka forma może nam później posłużyć do uszycia nie tylko bluzki, ale też koszuli, bluzy czy nawet sukienki. Czas więc zrobić swój pierwszy wykrój podstawowej bluzki, na własne wymiary. Mam nadzieję, że miarę macie już ściągniętą…

Do przygotowania wykroju na podstawową formę bluzki, na podstawie którego pokażę Wam później, jak uszyć T-shirt i bluzę, będą Wam potrzebne:

— **szary papier** (który można kupić w każdym sklepie papierniczym, w sklepie dla plastyków czy w empiku), lub **flizelina** (polecam robienie pierwszego wykroju najpierw na papierze, bojak coś pójdzie nie tak, to nie będzie nam szkoda flizeliny, a jak na papierze wyjdzie dobrze, później możecie go spokojnie przerysować na flizelinę. Wykrój zrobiony na flizelinie posłuży Wam dłużej i będzie się lepiej zachowywał podczas odrysowywania, gdyż papier często się rwie);

— **ołówek,**

— **gumka,**

— **kolorowe flamastry (nie jest to konieczne, ale ułatwia pracę),**

— **komplet linijek oraz zwykła prosta ekierka,**

— **nożyczki do papieru,**

— **szpilki,**

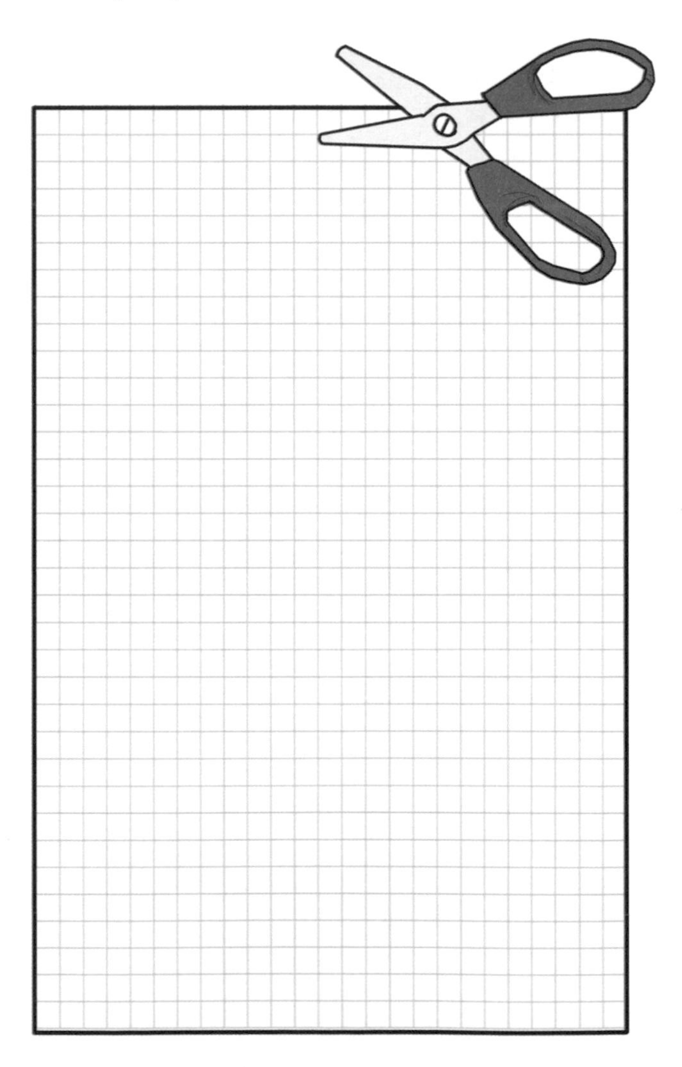

Nazwa odcinka:	Tu wpisz swoje wymiary:
Obwód klatki piersiowej	
Obwód talii	
Obwód bioder	
Szerokość tyłu	
Szerokość barków	
Obwód szyi	
Szerokość przodu	
Rozstaw gorsu	
Długość ramienia	
Długość rękawa (mierzone bez ramienia)	
Długość tyłu	
Długość przodu	

Krok I. Zdejmujemy miarę

Do zrobienia wykroju na bluzkę będą potrzebne powyższe wymiary (sposób, jak je zmierzyć, znajdziecie powyżej w punkcie „Pomiary").

Krok II. Rysujemy tył

Żeby narysować wykrój na własne wymiary, musicie rozłożyć arkusz papieru, na którym narysujecie tył, a później przód. Ważne jest, aby te dwie części były obok siebie, bo jak zerkniecie na zdjęcie wykroju, będzie Wam łatwiej narysować przód, mając obok gotowy tył, a i jedna część wynika nieco z drugiej. Zaczynamy!

1. Rozłożony arkusz papieru kładziemy na płasko. Pamiętajcie, że rysujemy połowę tyłu i połowę przodu. Linie: SB i S1B2 to linie środka tyłu i środka przodu, czyli w tym miejscu mamy złożony materiał.
2. Rysujemy linię prostą, zaznaczając środek pleców = środek tyłu. Jest to linia ST.
3. Dzielimy ten odcinek na pół, dodajemy 1 cm i rysujemy linię poziomą. W ten sposób powstaje nam linia pachy, czyli SP.
4. Następnie rysujemy odcinek SR — na linii

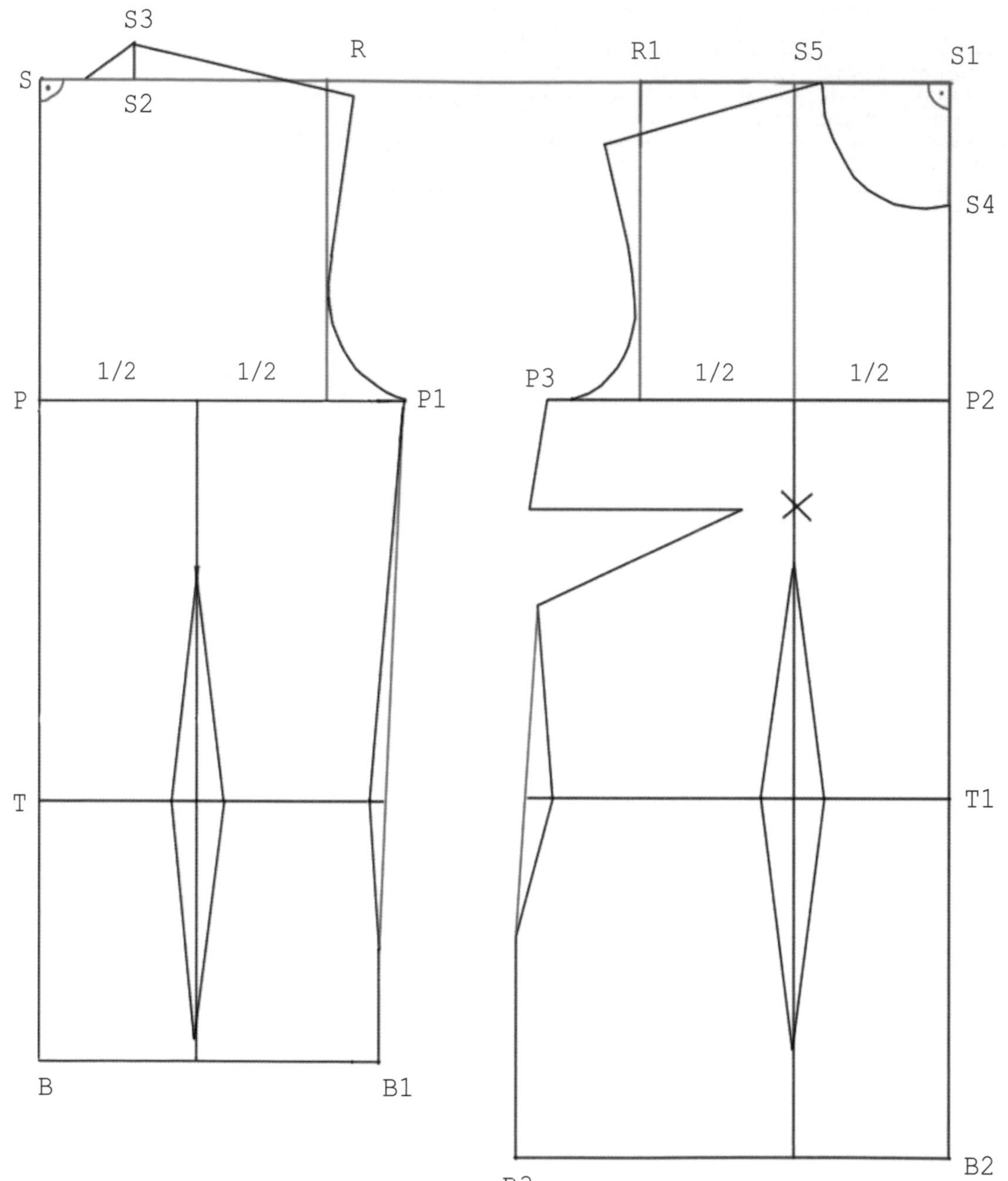

S3
R
R1
S5
S1
S
S2
S4
1/2
1/2
1/2
1/2
P
P1
P3
P2
T
T1
B
B1
B3
B2

poziomej zaznaczamy połowę szerokości pleców.

5. Teraz czas na szyję — obwód szyi dzielimy przez 6, dodajemy 1 cm w górę (S2) i zaznaczamy linią wartość, która nam wyszła.

6. Następnie linię szyi podwyższamy o 3 cm (S2 – S3), a na linii ramienia obniżamy o 1 cm i łączymy punkty, dzięki czemu powstaje nam podkrój szyi i ramię.

7. Teraz możemy przejść do szerokości klatki piersiowej na linii pachy. Tutaj nasz obwód klatki musimy podzielić przez 4, dodać 1 cm (na luz) i zaznaczyć jako punkt PP1.

8. Teraz podkrój pachy (RP) dzielimy na 3 równe części, dodajemy na dole od 0,7 cm do 1 cm i łączymy wszystkie punkty, tworząc podkrój pachy.

9. Kolejny element naszego wykroju to wysokość od talii do bioder, czyli nasz obwód bioder dzielimy przez 4, dodajemy 1 cm i zaznaczamy na wykroju (TB).

10. Szerokość bioder to zawsze 1/4 obwodu bioder + 1 cm. Powstaje nam linia BB1.

11. Teraz odcinek PP1 dzielimy na pół, na linii talii zaznaczamy po każdej stronie po 1,5 cm, a od góry i od dołu skracamy linię o 3 cm i zaznaczamy zaszewkę dopasowującą. Jeśli się okaże, że ta zaszewka nie wystarczy, możemy jeszcze wybrać nadmiar materiału na linii boku lub zrobić drugą zaszewkę z przodu. Lepiej zrobić drugą zaszewkę, niż robić jedną szerszą.

12. Zostaje nam już tylko wyprowadzić linie boku i mamy gotowy tył. Jeśli cokolwiek jest dla Was niezrozumiałe, to odsyłam do płyty z filmami. Tam pokazane są krok po kroku wszystkie punkty wykroju na podstawową bluzkę na własne wymiary.

Krok III. Rysujemy przód

1. Przód rysujemy na jednej linii z tyłem. Najpierw S1R1 jakby w odbiciu lustrzanym, a także głębokość pachy. Te linie mają takie same wymiary jak linie tyłu, więc możecie je już zaznaczyć. Czyli linie szyi i pachy są tu takie same jak w tyle.

2. Teraz zaznaczamy talię S1T1. Pamiętajcie, że talia w przodzie jest niżej niż w tyle. Musicie mieć zmierzony odcinek od szyi do talii poprzez środek gorsu.

3. Obwód szyi wylicza się tak samo jak w tyle, czyli jest to 1/6 obwodu. Jest to szerokość szyi, natomiast wysokość szyi to 1/4 obwodu szyi + 2 cm.

4. Szerokość przodu, czyli odcinek S1R1, jest taki sam jak w tyle.

5. Kolejnym krokiem będzie obniżenie ramienia o 4 cm na wysokości punktu R1 (stała wartość). Pamiętajcie, że ramię z przodu może być o 0,5 cm krótsze niż z tyłu.

6. Teraz zaznaczamy szerokość przodu na linii pachy, czyli 1/4 obwodu klatki piersiowej + 2 cm (linia P2P3)

7. Pacha — szerokość pachy przodu jest taka sama jak tyłu. Dzielimy odcinek na 3 części, nic nie dodajemy i łączymy. Powstaje linia P2P3.

8. Na linii, która biegnie przez środek gorsu, zaznaczamy wysokość i środek gorsu zgodnie z własnymi wymiarami.

9. Pamiętajcie, że głębokość zaszewki bocznej (piersiowej) to różnica między linią talii a linią pachy w przodzie i tyle. W przodzie jest jej więcej niż w tyle, więc musimy ją wybrać.

10. Długość zaszewki zawsze powinna kończyć się 3 cm od środka gorsu — nie może kończyć się na gorsie, bo wtedy będzie się wywijała i zniekształcała nam biust.

11. Teraz możecie zaznaczyć wysokość od linii talii do linii bioder, czyli 1/4 obwodu bioder + 1 cm (linia T1B2).

12. Szerokość bioder tak jak w tyle, czyli 1/4 obt + 2 cm (linia B2B3).

13. Możemy też zrobić zaszewki. Szerokość przodu dzielimy na pół, na linii talii zaznaczamy po obu stronach po 1,5 cm, od góry i od dołu odznaczamy po 3 cm, czyli skracamy, i rysujemy zaszewkę dopasowującą. Możemy też wybrać nadmiar na linii boku i wyprowadzić linię boku. I w taki oto sposób udało nam się narysować wykrój na własne wymiary na bluzkę podstawową! Łatwizna, prawda?

Krok IV. Robimy wykrój na rękaw

Wykrój na bluzkę jest już gotowy, ale został nam jeszcze rękaw. Tutaj również musicie pobrać swoje wymiary:

Nazwa:	Tu wpisz swoje wymiary:
Długość całkowita rękawa	
Długość do łokcia	
Szerokość rękawa + 6 cm	
Szerokość w nadgarstku	
Szerokość przedramienia	

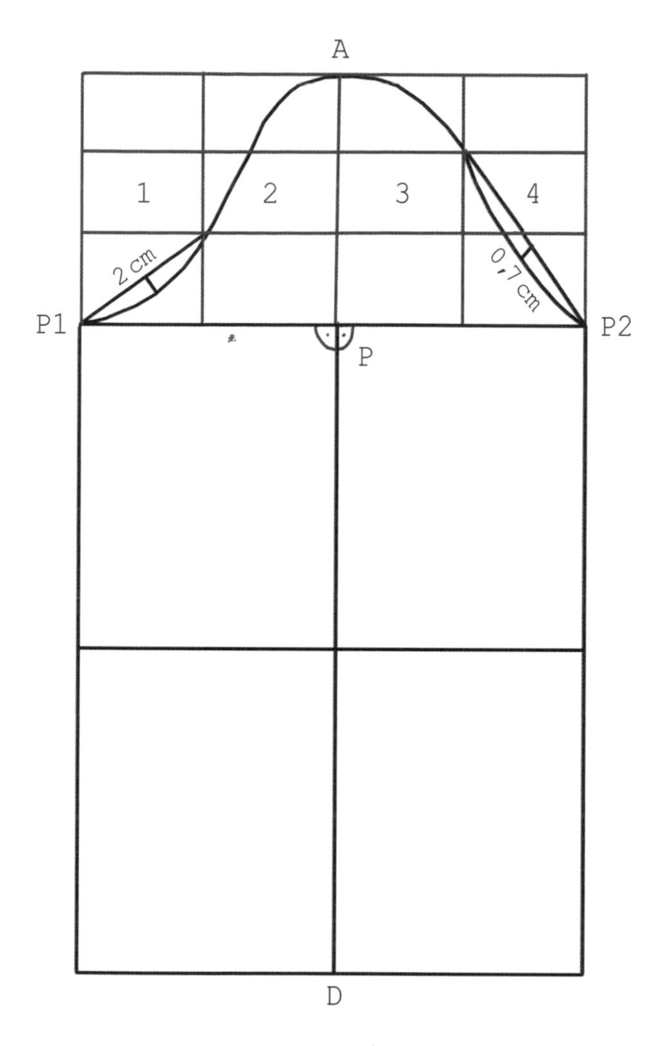

1. Rysujemy długość rękawa — linia pionowa na środku AD.

2. Następnie zaznaczamy głębokość pachy, która ma stałą wartość, a mianowicie 15 cm od górnej krawędzi główki rękawa AP.

3. Teraz rysujemy szerokość rękawa, czyli obwód ręki + 6 cm (stała miara), w wyniku czego powstanie linia pozioma na wysokości pachy P1P2.

4. Dzielimy szerokość rękawa na 4 równe części, następnie pierwszą górną linię dzielimy na 3 równe części i wyznaczamy główkę rękawa. Główka ma zawsze 3 cm po obu stronach w linii prostej, a następnie schodzi w dół. Przód rękawa idzie przez dolną linię, czyli przecina punkt niższy. Pamiętajcie też o wybraniu 2 cm. Tył rękawa idzie przez górny punkt i wybieramy tylko 0,7 cm.

5. Długość rękawa i jego szerokość zaznaczamy zgodnie z własnymi wymiarami — i gotowe! Jeśli cokolwiek było niejasne, odsyłam Was do filmów. Tam jest krok po kroku pokazane, co trzeba zrobić.

Teraz, kiedy wykrój jest już gotowy, możemy śmiało zabrać się do szycia. Bez względu na to, jaki materiał wybierzecie, możecie z takiego gotowego wykroju uszyć elegancką bluzkę, dzianinowy T-shirt albo bluzę. Ja postanowiłam uszyć koszulkę z dzianiny w piękne czarne ważki. Pierwszym krokiem, jaki zrobiłam, był szkic, rysunek mojej koszulki, który nie jest oczywiście wymogiem i bez którego można się śmiało obejść. Gdy szyjemy w warunkach domowych, zazwyczaj nie mamy czasu na rysowanie swoich projektów. Ważne, żeby wizja była w głowie.

Cały czas zachęcam do zerknięcia na koniec książki, gdzie czeka na Was płyta z filmikami. Jeśli cokolwiek na tym etapie jest niezrozumiałe, to filmik Wam wiele wyjaśni.

Szyjemy T-shirt!

Szukaj podpowiedzi na płycie

Do uszycia koszulki posłuży Wam zrobiony przed chwilą wykrój na bluzkę na Wasze wymiary.

Użyty materiał – dzianina
Ilość materiału – 1 metr
Nici – elastyczne
Igła – kulkowa

1. Kładziemy wykrój na materiał (ja szyję z dzianiny). Mocujemy wykrój szpileczkami, żeby nam się nie przesunął, odrysowujemy najpierw przód, a później tył. Najlepiej będzie, jeśli złożycie sobie materiał, tak aby linia środka przodu i tyłu była na zgięciu, dzięki czemu będziecie mieli dwa nierozcięte kawałki. Teraz, kiedy macie już odrysowany przód i tył, możecie wyciąć obie części, zostawiając po 1 cm na szwy. Pamiętajcie też o wyrównaniu długości tyłu do przodu, bo w tym modelu nie robimy zaszewek bocznych w przodzie, a forma tyłu jest nieco krótsza.

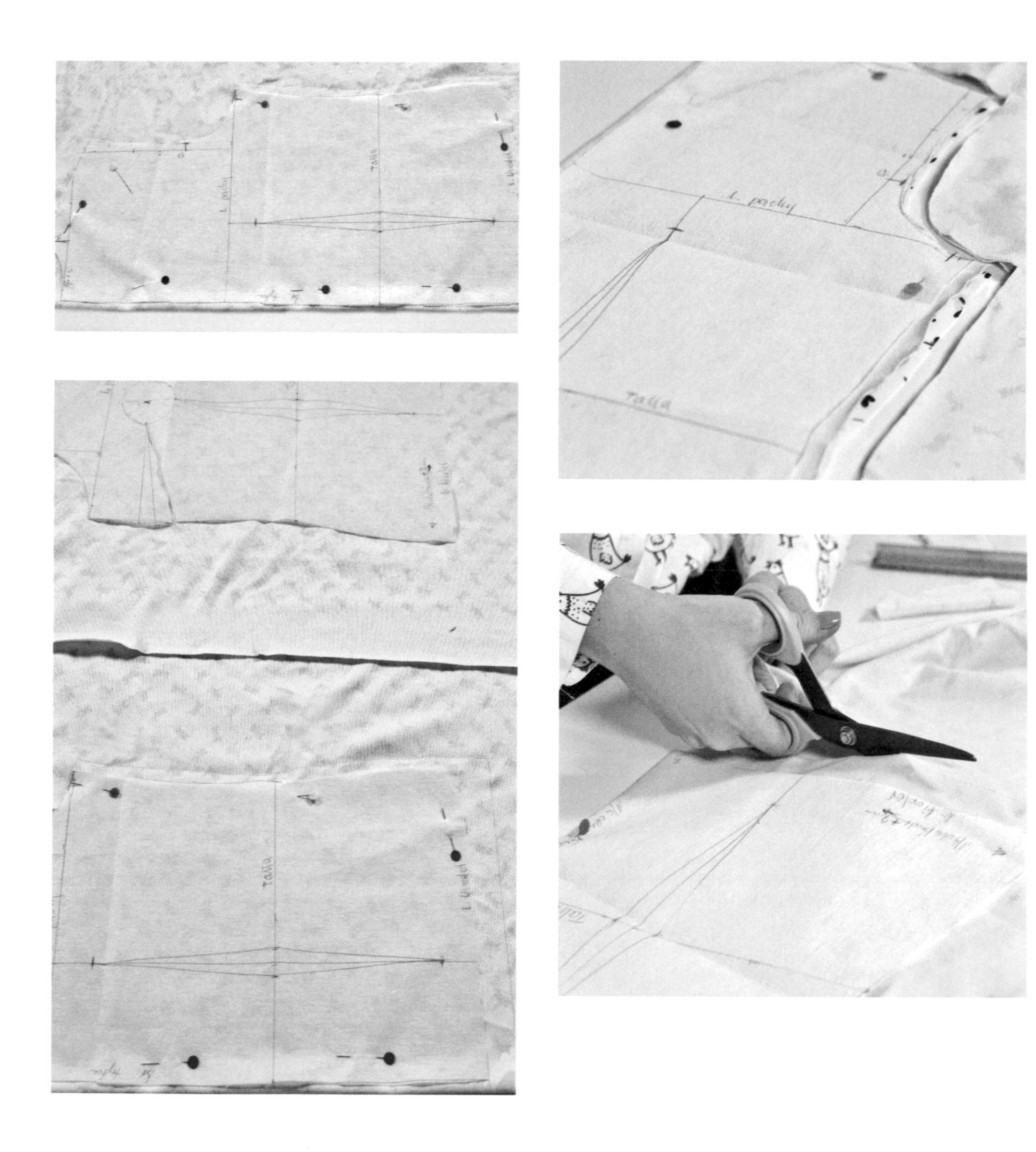

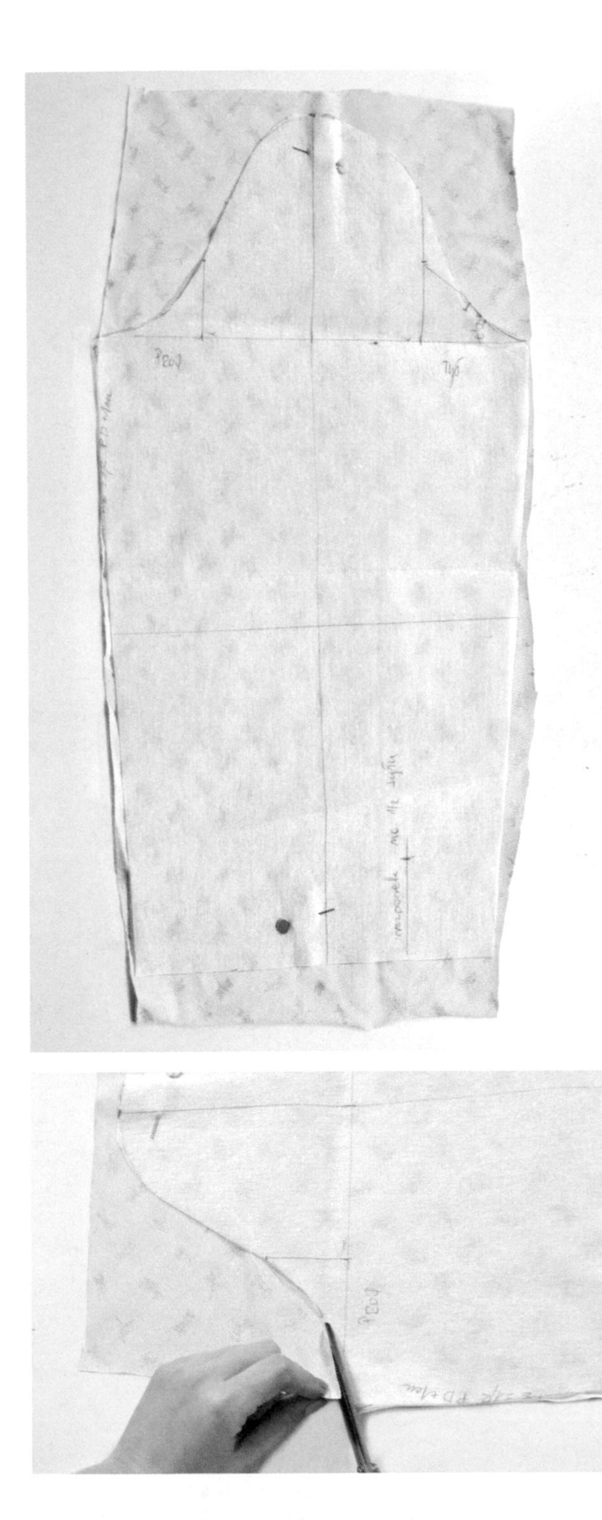

2. Warto też zostawić sobie zapas na dole na podwinięcie.

3. Teraz możecie spiąć przód z tyłem. Kładziemy tył prawą stroną materiału do góry, na to nakładamy przód prawą stroną materiału do dołu i spinamy obie części na linii ramienia i po bokach.

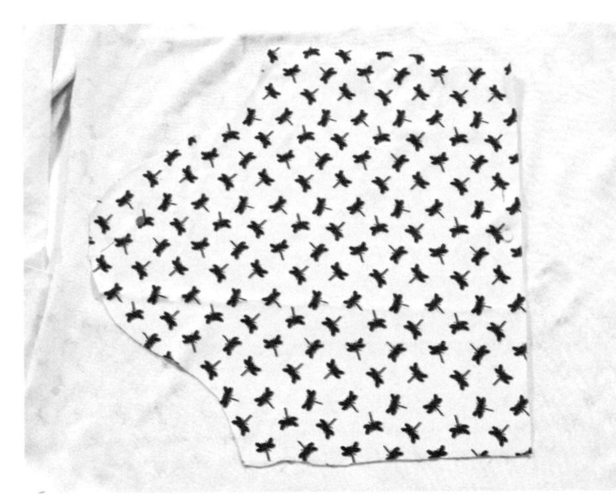

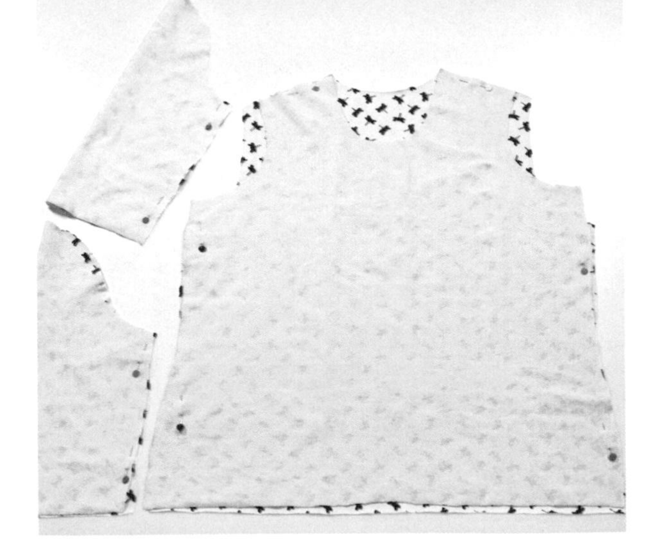

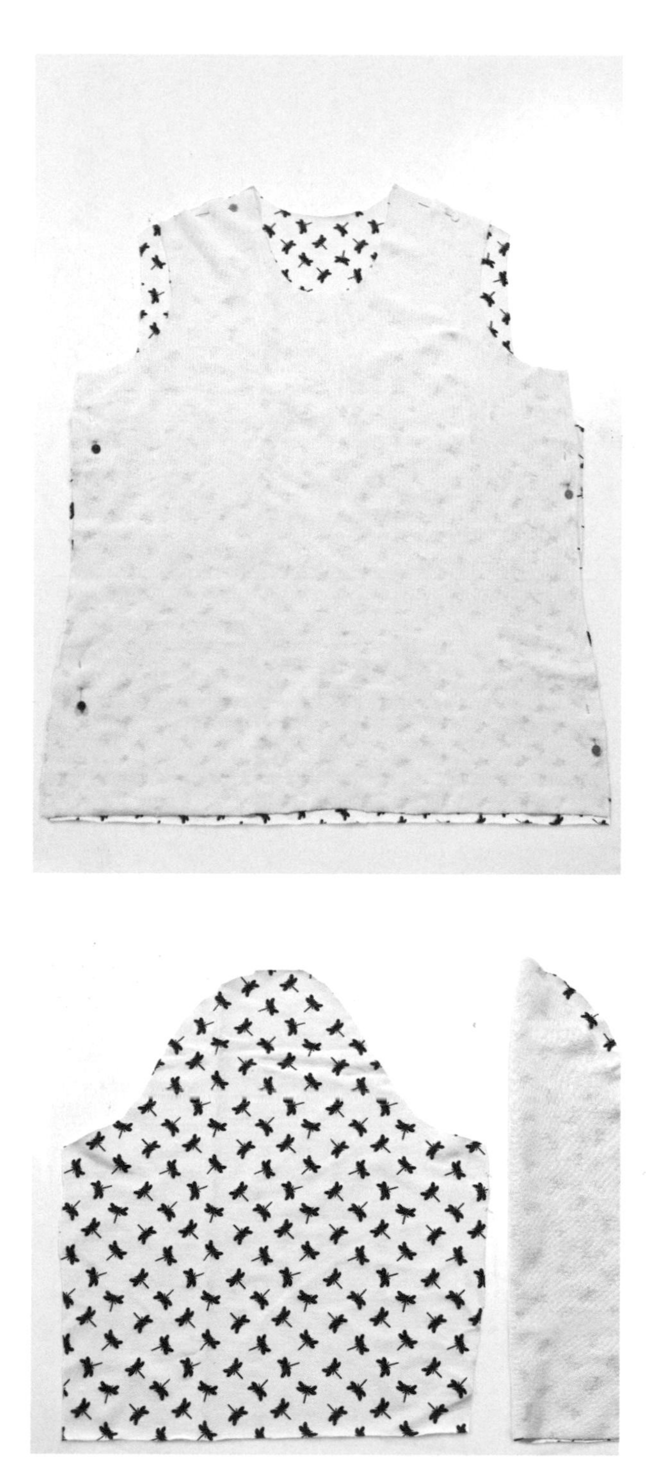

4. Następnie zszywamy szwy ramienia i szwy boczne na overlocku, jeśli go macie, a jeśli nie, to na maszynie wielofunkcyjnej zwykłym ściegiem prostym, a później funkcją overlocka (jeśli takową ma Wasza maszyna) lub zygzakiem, żeby brzeg się nie strzępił. Ja zszyłam szwy na overlocku, ale później wzmocniłam je jeszcze na maszynie wielofunkcyjnej.

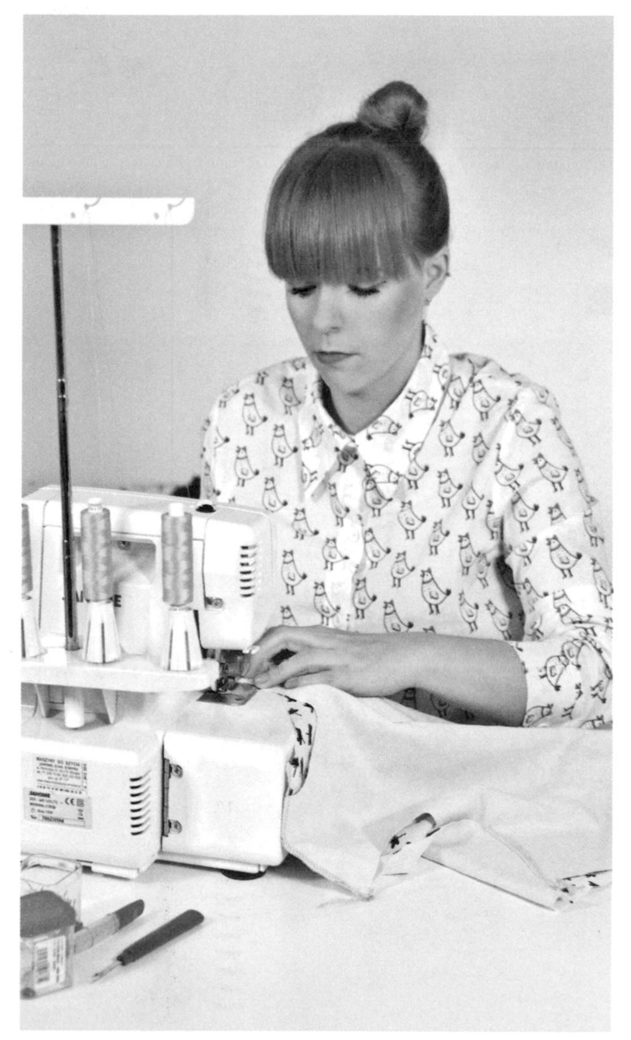

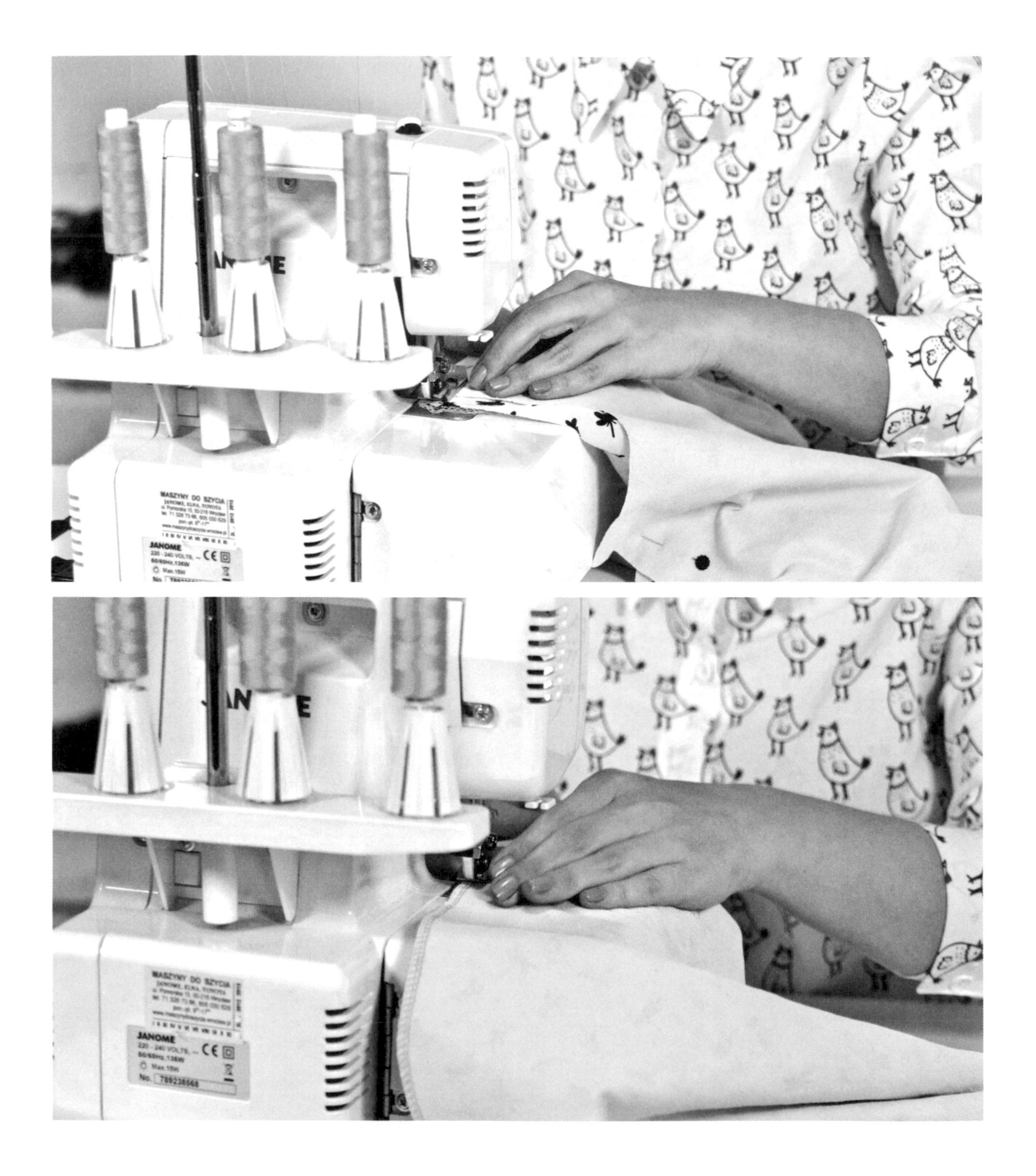
MASZYNY DO SZYCIA
JANOME
MASZYNY DO SZYCIA
JANOME

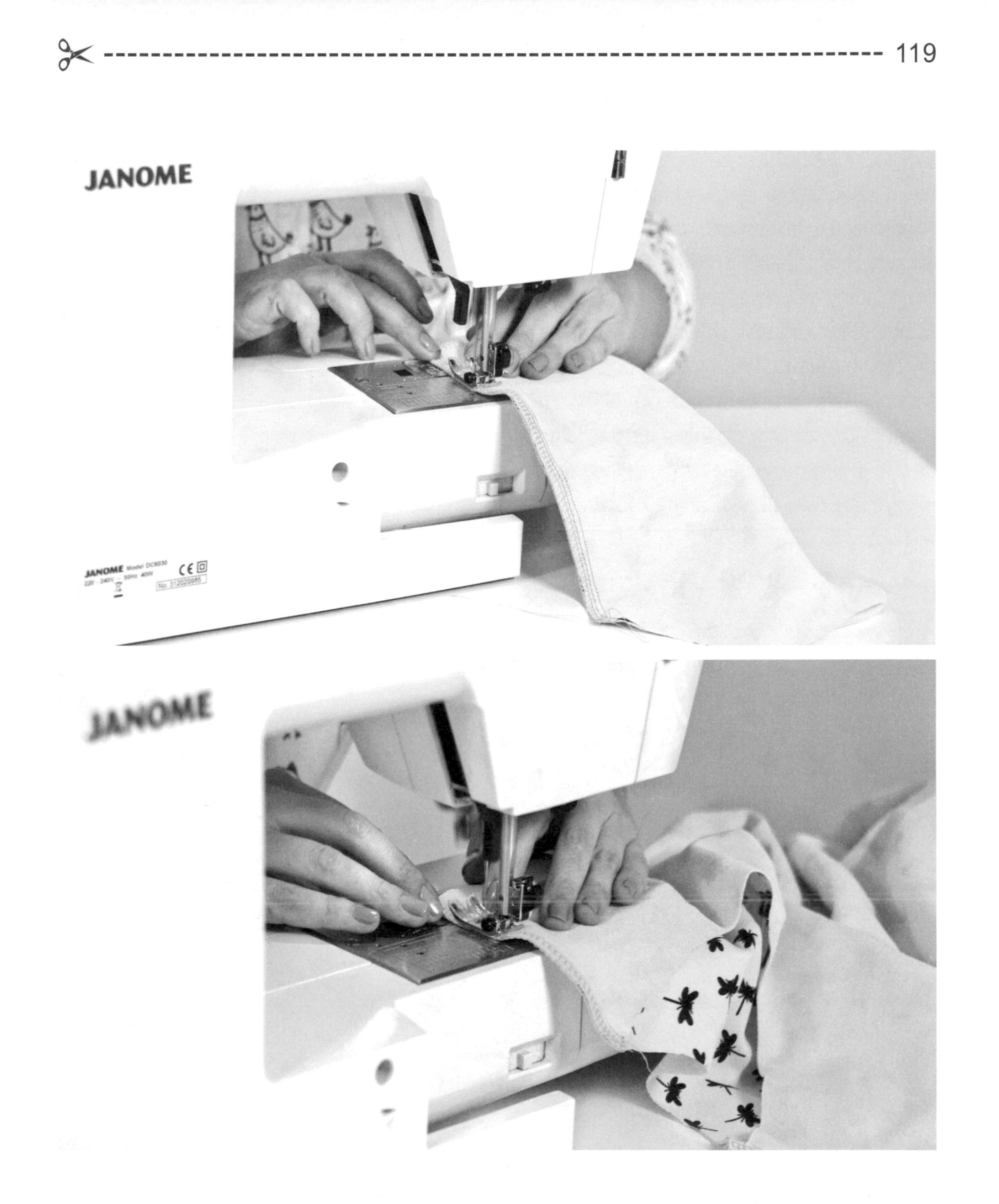
JANOME
JANOME

5. Bluzka jest już zszyta, czas przyszyć do niej rękawy. Zszyty rękaw wkładamy do otworu w bluzce w taki sposób, aby prawa strona rękawa połączyła się z prawą stroną bluzki. Przypinamy główkę rękawa do krawędzi bluzki, spinamy szpilkami, a następnie przypinamy resztę rękawa, tak aby szew boczny rękawa pokrył się ze szwem bocznym bluzy. Pamiętajcie, że przy dzianinie nie trzeba naddawać główki rękawa i można ją nieco spłaszczyć (ale tylko przy dzianinie). Zszywamy — i gotowe.

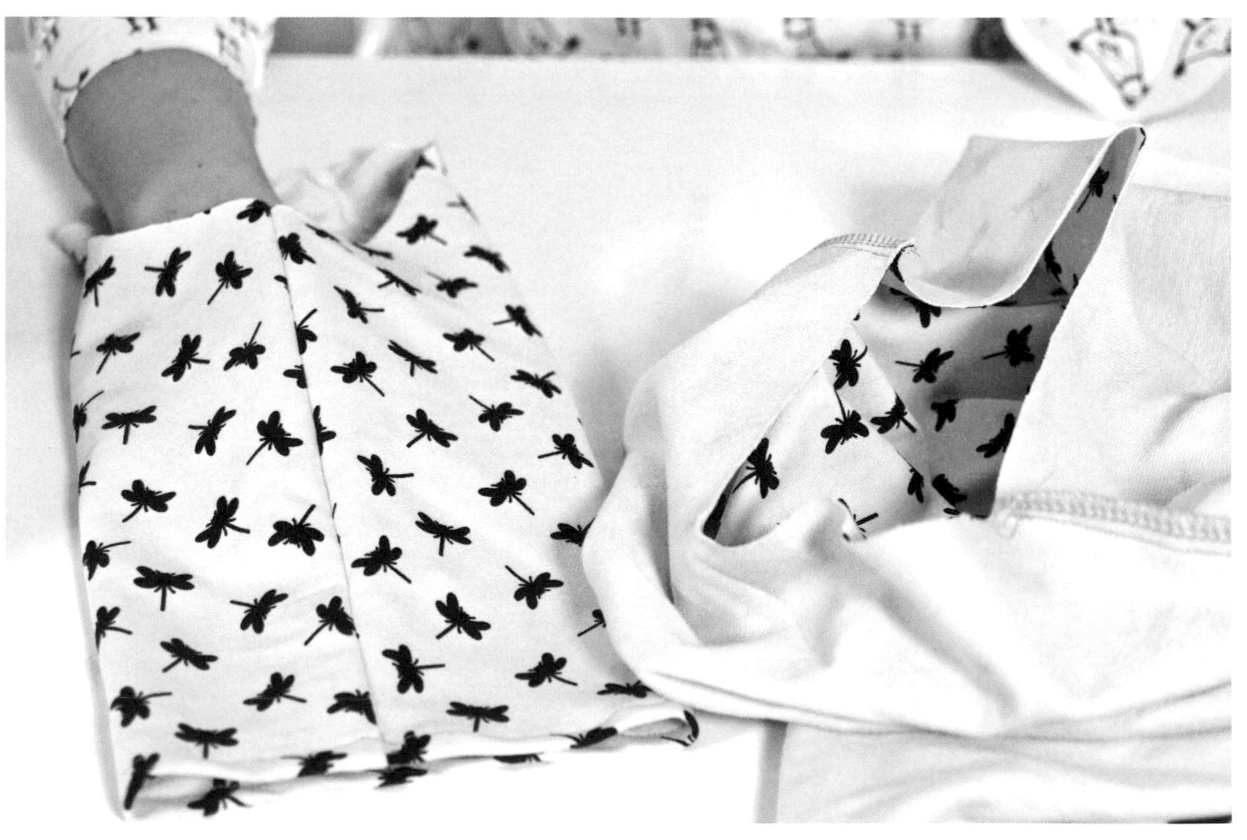

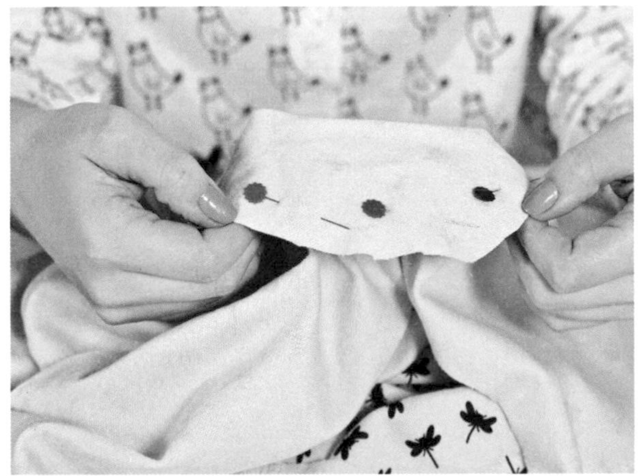

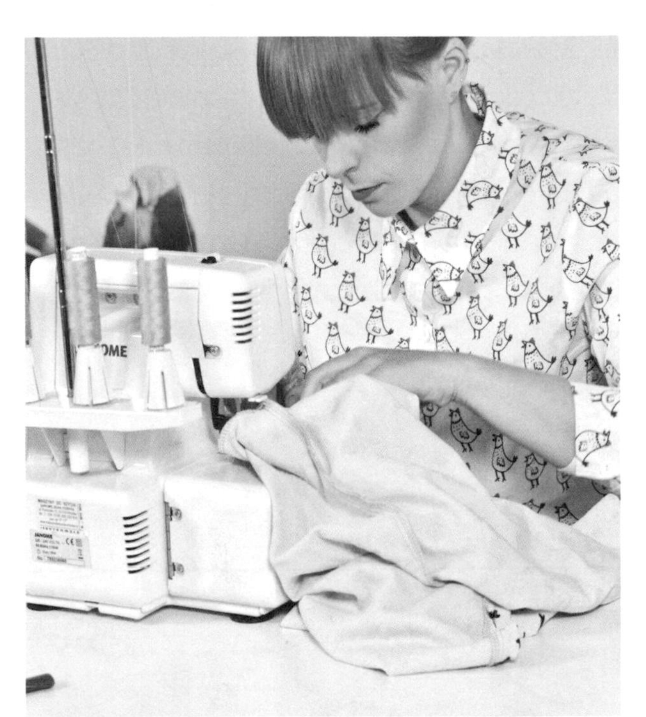

6. Został nam do obrzucenia już tylko dół bluzki i dół rękawków. I tutaj świetnie sprawdza się overlock. Jeśli go nie macie, możecie od razu zawinąć dół dwa razy i przeszyć po prawej stronie materiału zwykłym ściegiem prostym. Z rękawami robimy dokładnie tak samo.

7. Teraz zabieramy się do dekoltu. W bluzie pokażę Wam, jak wykończyć górę na przykład za pomocą ściągacza. W koszulce proponuję podwinąć brzeg dwa razy i przestebnować (przeszyć) go po prawej stronie zwykłym ściegiem prostym. Taki sposób jest prosty i szybki. Jeśli jednak chcielibyście zrobić pliskę, to wycinamy ją w poprzek dzianiny (prostokąt o wysokości np. 3/4 cm i szerokości o 5 cm krótszej niż obwód szyi), zszywamy jej krótsze boki, przypinamy do dekoltu i przyszywamy, naciągając ją nieco, bo jest jej trochę mniej niż dekoltu. Dzięki temu, że pliska jest krótsza, będzie lepiej trzymała dekolt.

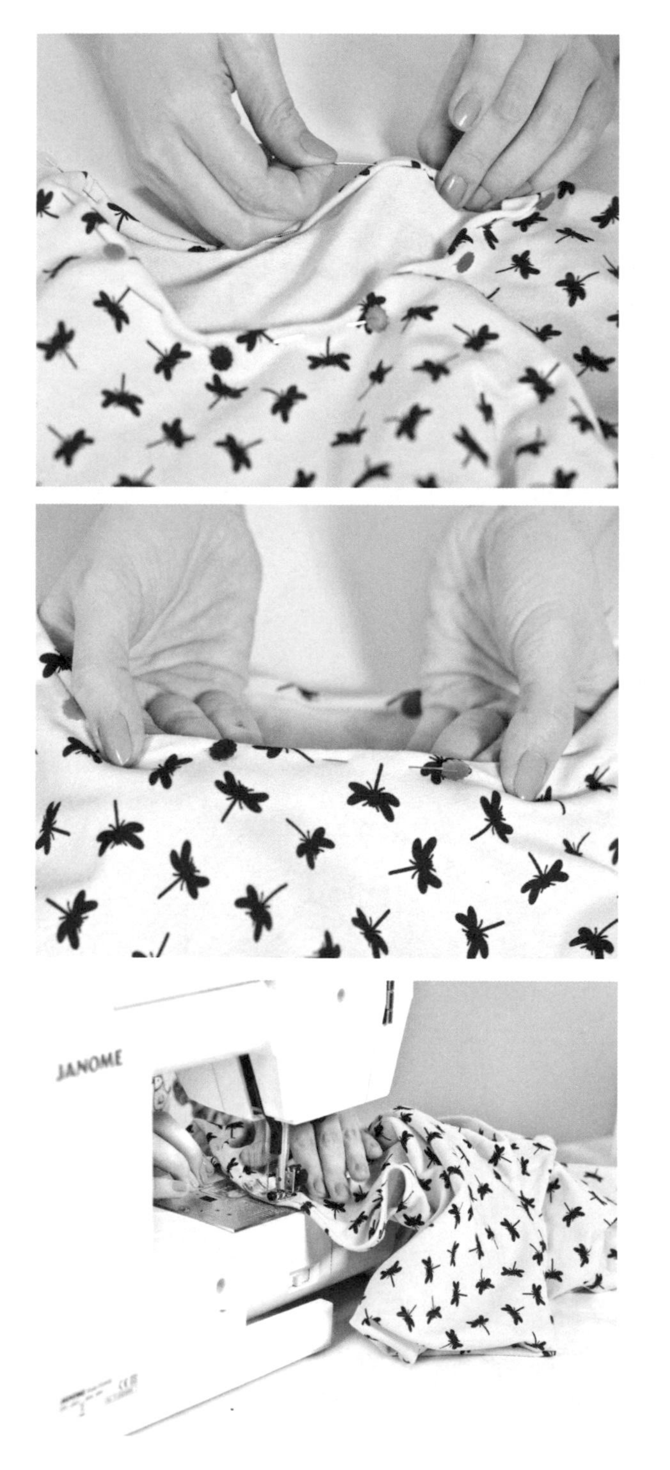

Koszulka gotowa!

Skoro umiecie już uszyć swoją pierwszą koszulkę, czas pomyśleć o czymś bardziej skomplikowanym, czyli o bluzie. Do dzieła!

Tu narysuj swój projekt.

Szyjemy bluzę!

Szukaj podpowiedzi na płycie

Użyty materiał – dzianina
Ilość materiału – 1 metr
Nici – elastyczne
Igła – kulkowa
Dodatki – 30 cm czarnego ściągacza

Szycie bluzy jest równie proste jak szycie koszulki i tutaj także posłuży nam wykrój na bluzkę podstawową. Cały czas zachęcam do zajrzenia na koniec książki. Czeka tam na Was płyta z tutorialami video. Tam krok po kroku widać każdy mój ruch. Łatwiej i szybciej zrozumiecie, co miałam na myśli.

Kładziemy wykrój na dzianinę, spinamy szpilkami, żeby nam się nie przesuwał, odrysowujemy przód i tył dokładnie tak samo jak przy koszulce powyżej. Pamiętajcie o wyrównaniu długości tyłu do przodu. **Tutaj możecie też wykorzystać swoją inwencję twórczą.** Wasza bluza może być szersza i krótsza, węższa i dłuższa. To musicie postanowić na początku odrysowywania wykroju i od razu zaznaczyć na materiale, tak samo jak zapas na szwy po bokach. Przy dzianinie nie jest on konieczny, ale warto zostawić po 1 cm. Teraz możecie wyciąć przód i tył oraz rękawy. O ile przy koszulce wycinaliśmy rękaw krótki, o tyle tu potrzebny nam będzie rękaw długi.

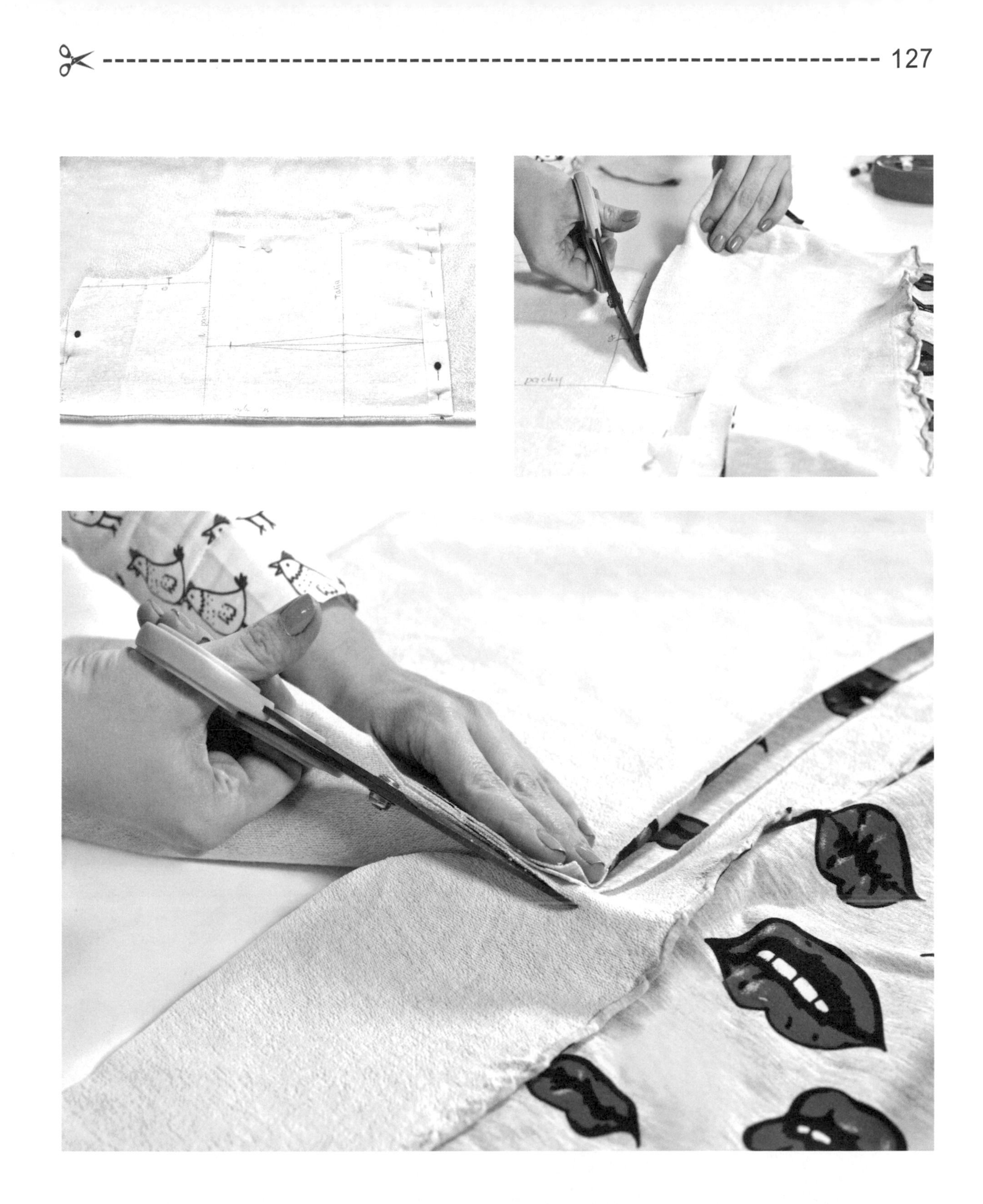

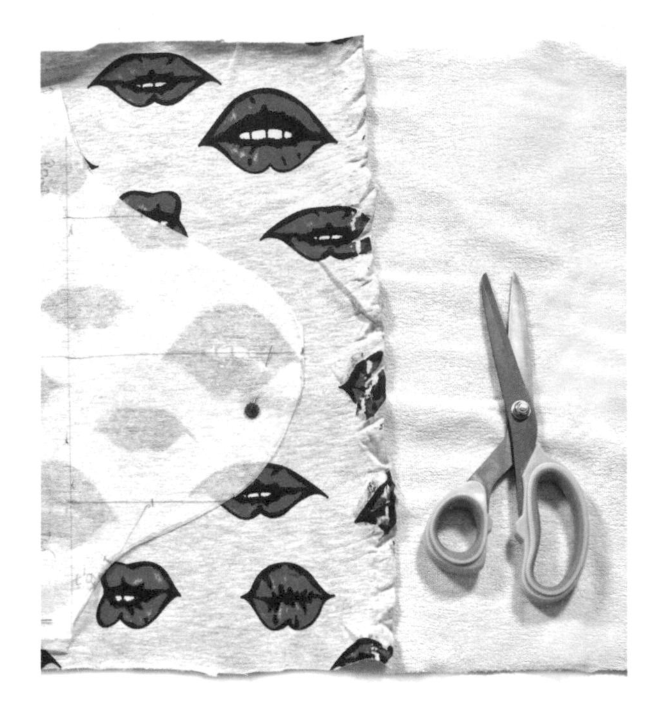

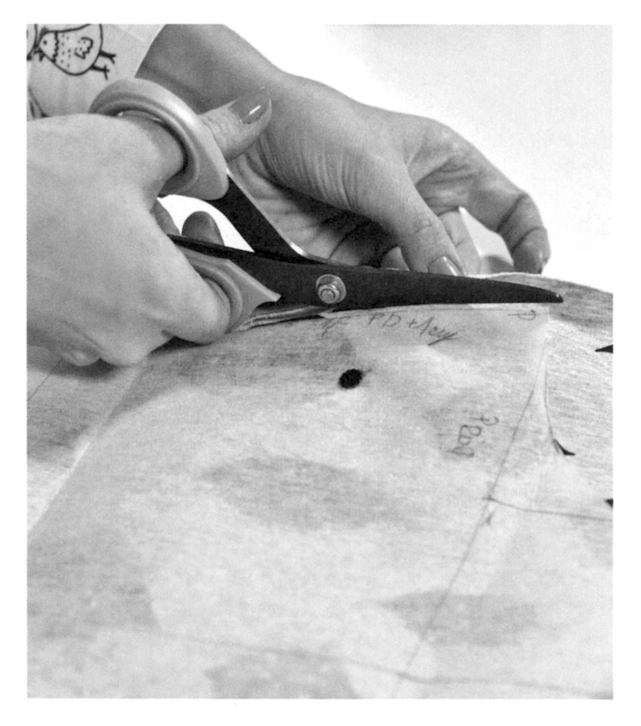

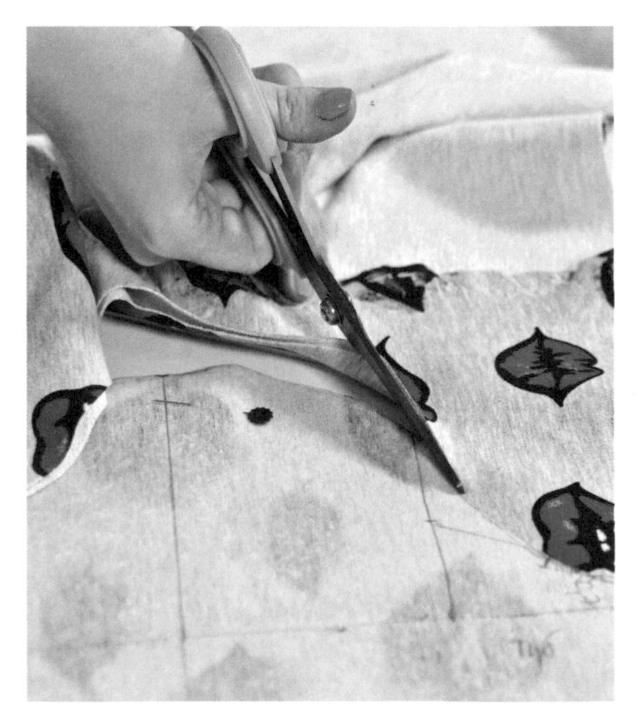

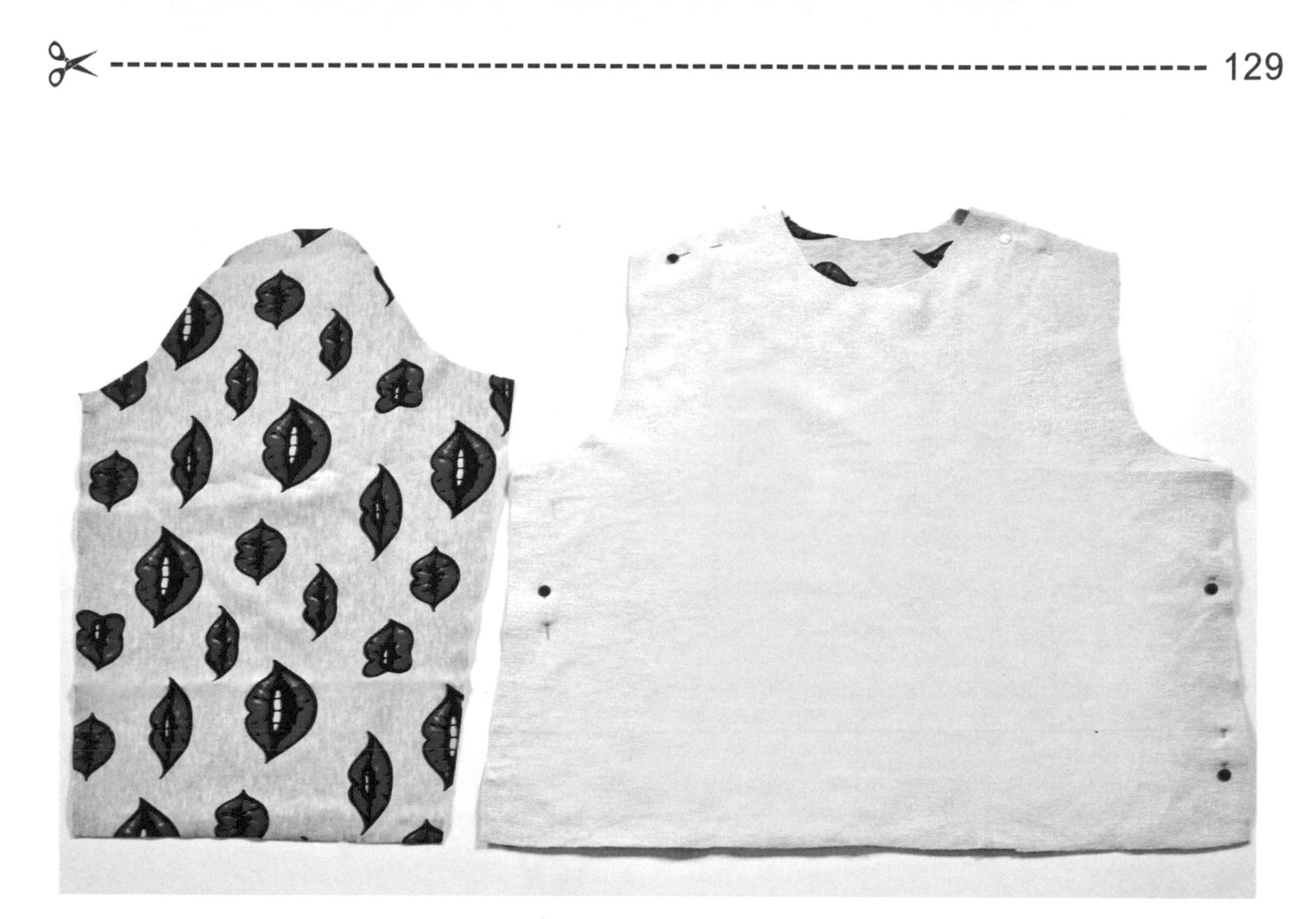

1. Składamy przód i tył prawą stroną do prawej (najłatwiej jest poznać prawą stronę na materiałach ze wzorami), spinamy szpilkami i zszywamy.

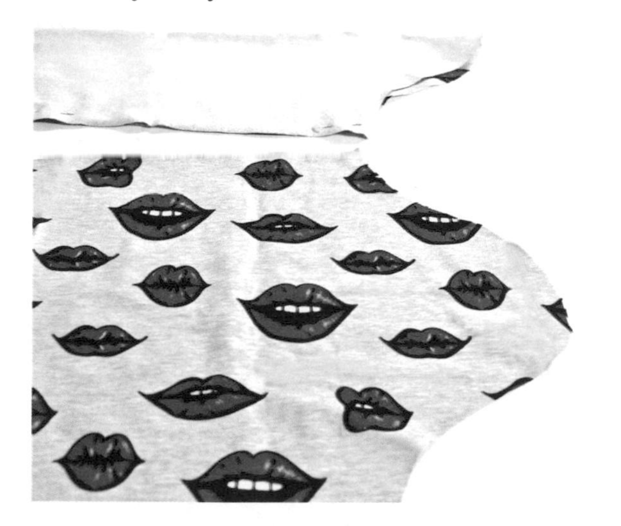

2. Następnie zszywamy szwy ramienia na maszynie wielofunkcyjnej zwykłym ściegiem prostym (później funkcją overlocka) lub zygzakiem, żeby brzeg nam się nie strzępił.

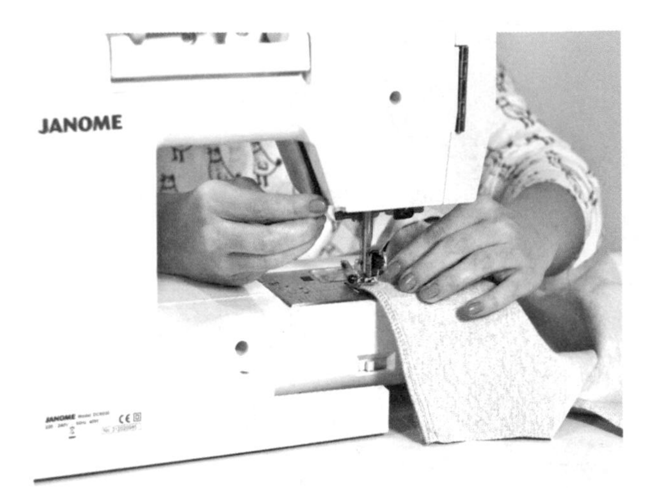

Ja zszyłam szwy na overlocku, ale wzmocniłam je jeszcze później na maszynie wielofunkcyjnej. Teraz możecie przejść do rękawów. Ten sposób wszywania jest bardzo uproszczony, idealny dla amatorów. Pamiętajcie jednak, że nie jest on możliwy do zastosowania przy każdym materiale. Sprawdzi się tylko przy dzianinach.

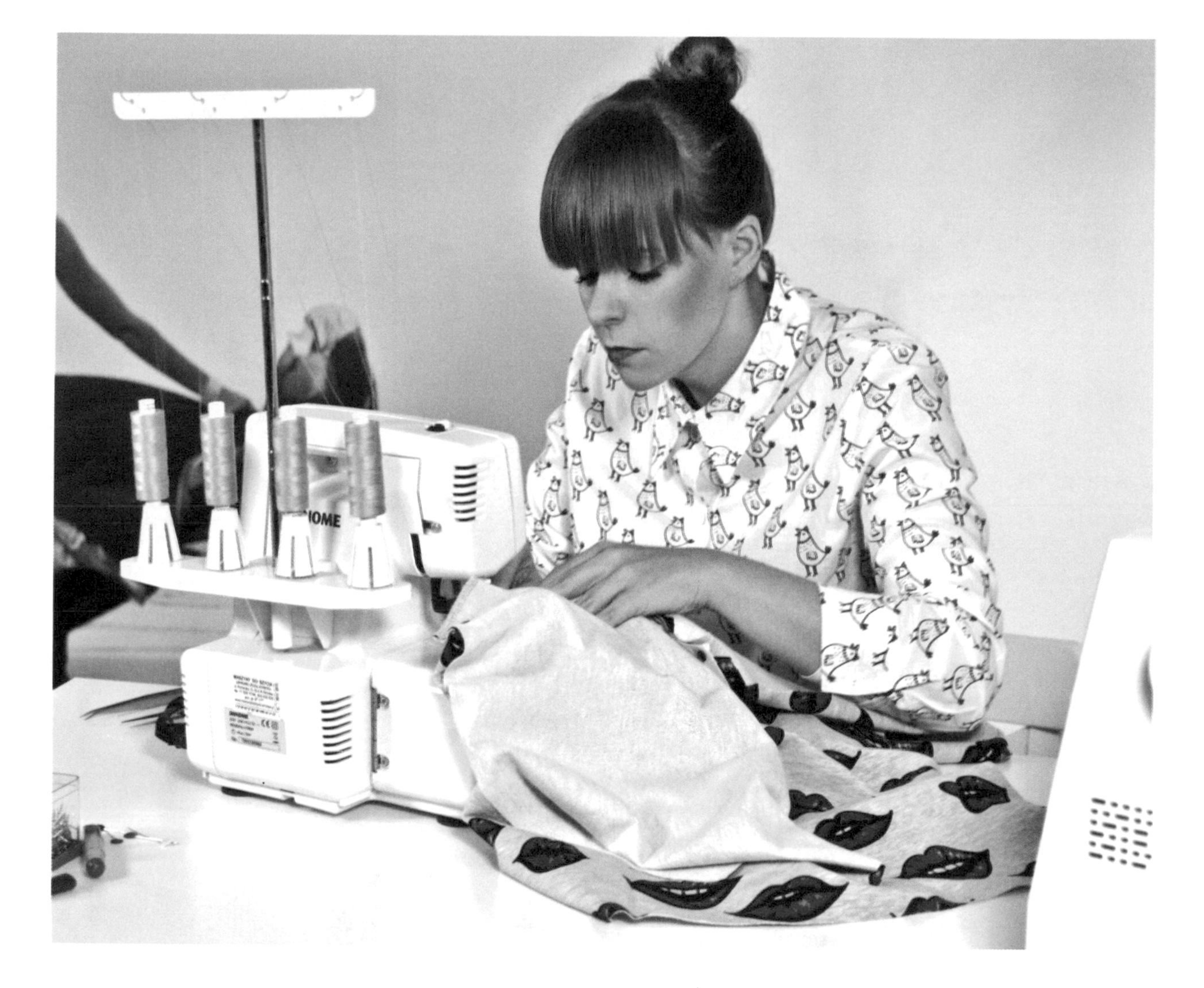

3. Rozkładamy bluzę na płasko prawą stroną materiału do dołu, teraz przykładamy niezszyty jeszcze rękaw na bluzę, tak aby jego prawa strona połączyła się z prawą stroną bluzy. Jeżeli macie za dużo główki rękawa, możecie ją śmiało ściąć, trochę ją spłaszczając.

Teraz spinamy szpilkami i szyjemy. Najpierw przeszywamy główkę rękawa, następnie składamy na pół rękaw przyszyty już w górnej części do bluzy i przeszywamy pozostały szew, zszywając jednocześnie rękaw. Jeśli coś jest niejasne, to odsyłam Was do filmu. Tam wszystko wyraźnie widać.

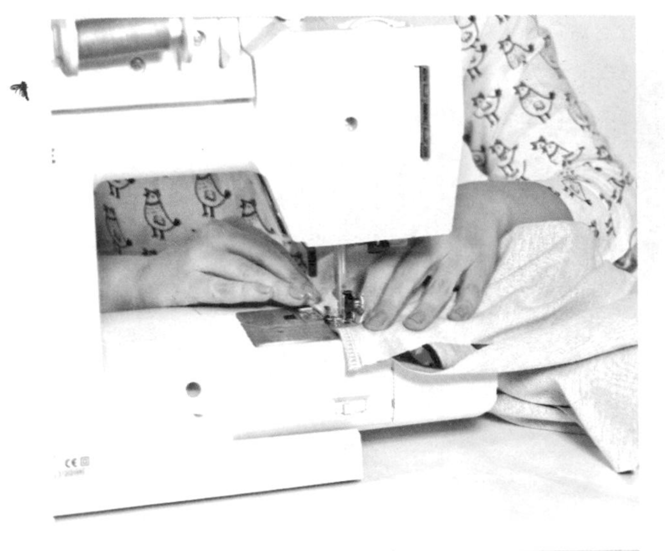

JANOME

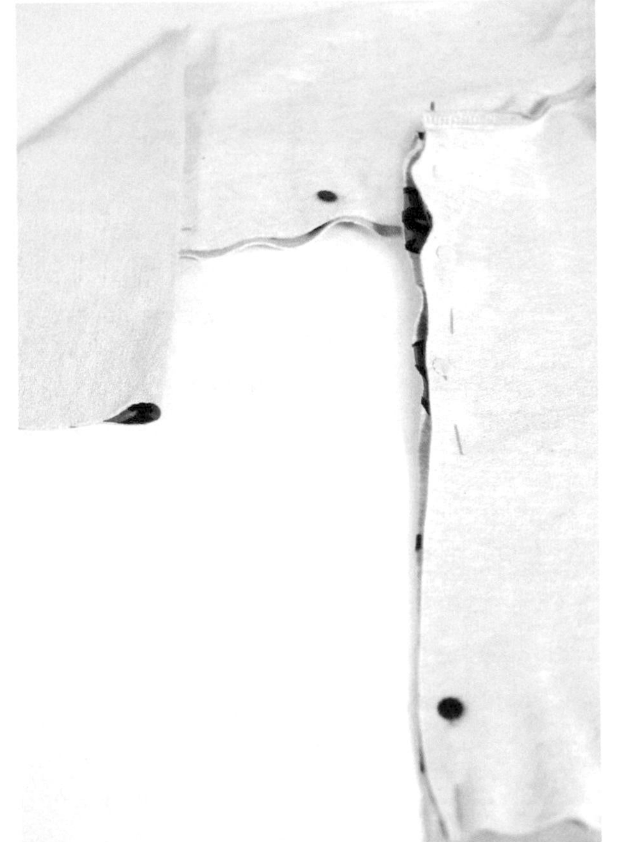

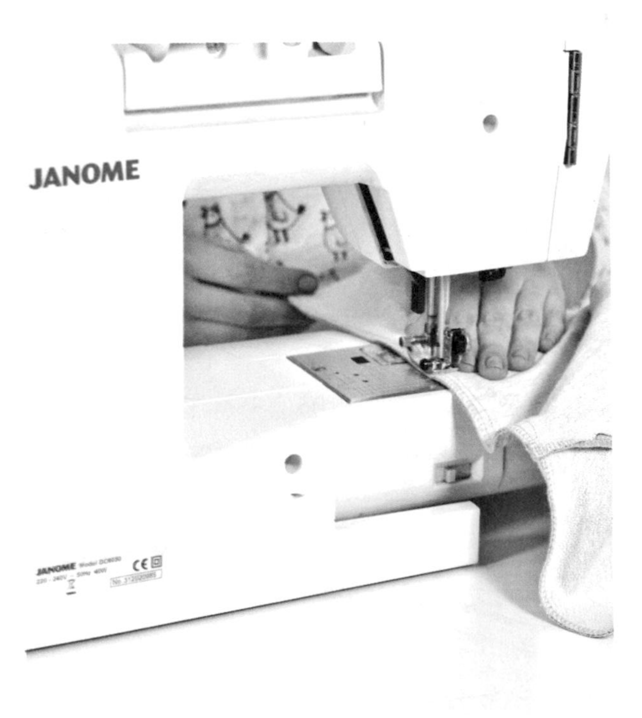
JANOME

4. Dół, rękawy i dekolt wykańczamy czarnymi ściągaczami. Jak je zrobić? Wycinamy w poprzek dzianiny prostokąty, które w obwodzie mają o 5 cm mniej niż obwód danej części, zszywamy boki prostokątów, przypinamy np. do rękawa i przeszywamy. Tak samo robimy z resztą elementów. I gotowe.

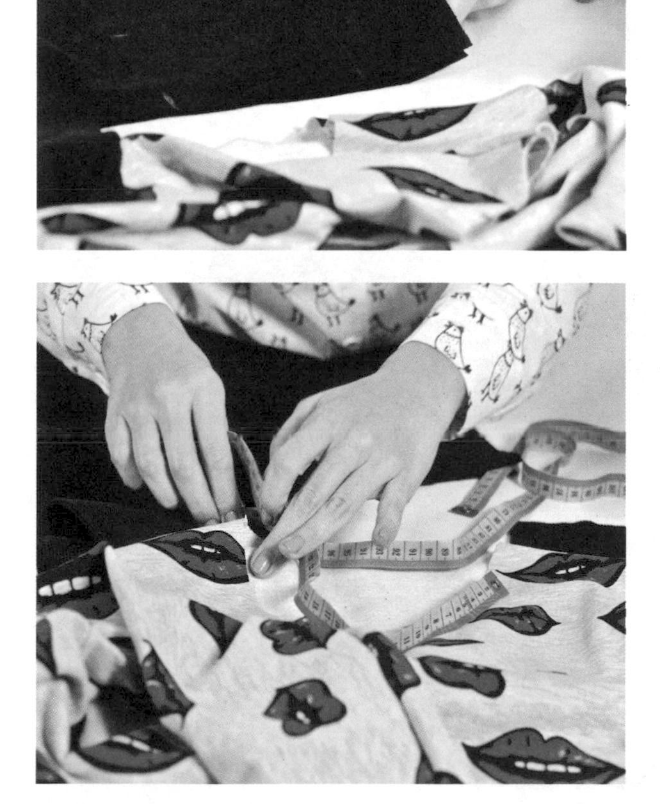

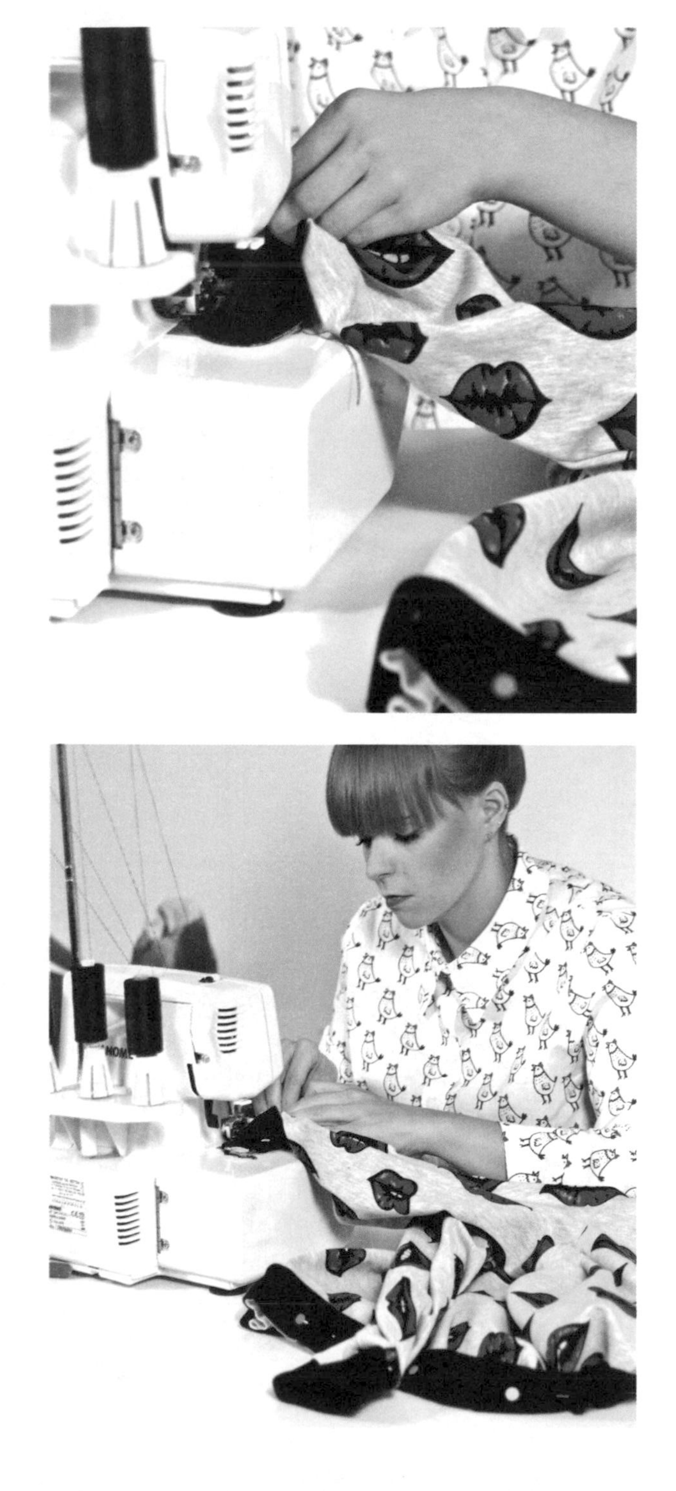

Mam nadzieję, że szycie już się Wam na tyle spodobało, że chcecie tylko więcej. Skoro pozostajemy dalej przy temacie wykroju na bluzkę, to teraz pokażę Wam, jak z takiego wykroju zrobić rozkloszowaną sukienkę o linii A, taką nieco w stylu retro.

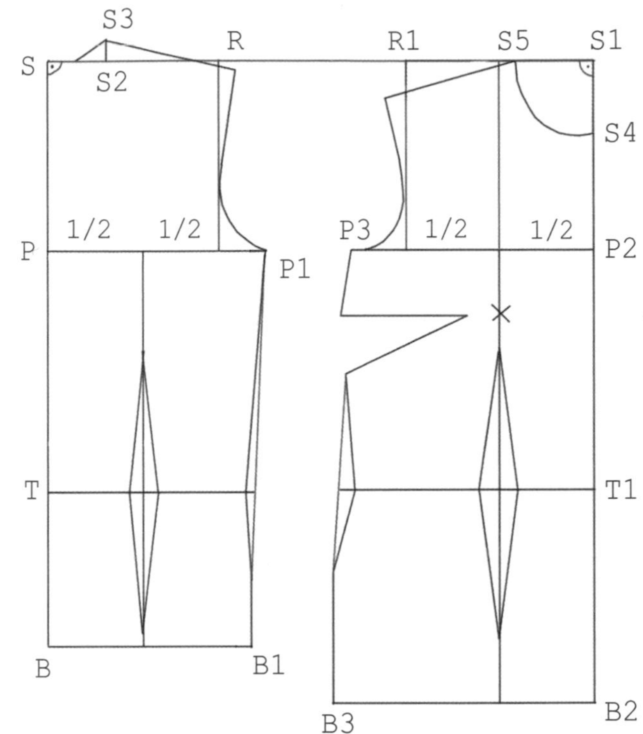

Szyjemy sukienkę

Szukaj podpowiedzi na płycie

Krok I. Zdejmujemy miarę

Do zrobienia wykroju na sukienkę będziecie potrzebować następujących wymiarów (sposób, jak je zmierzyć, znajdziecie powyżej w punkcie „Pomiary"):

Nazwa odcinka:	Tu wpisz swoje wymiary:
Obwód klatki piersiowej	
Obwód talii	
Obwód bioder	
Szerokość tyłu	
Szerokość barków	
Obwód szyi	
Szerokość przodu	
Rozstaw gorsu	
Długość ramienia	
Długość rękawa (mierzona bez ramienia)	
Długość tyłu	
Długość przodu	

Tu narysuj swój projekt.

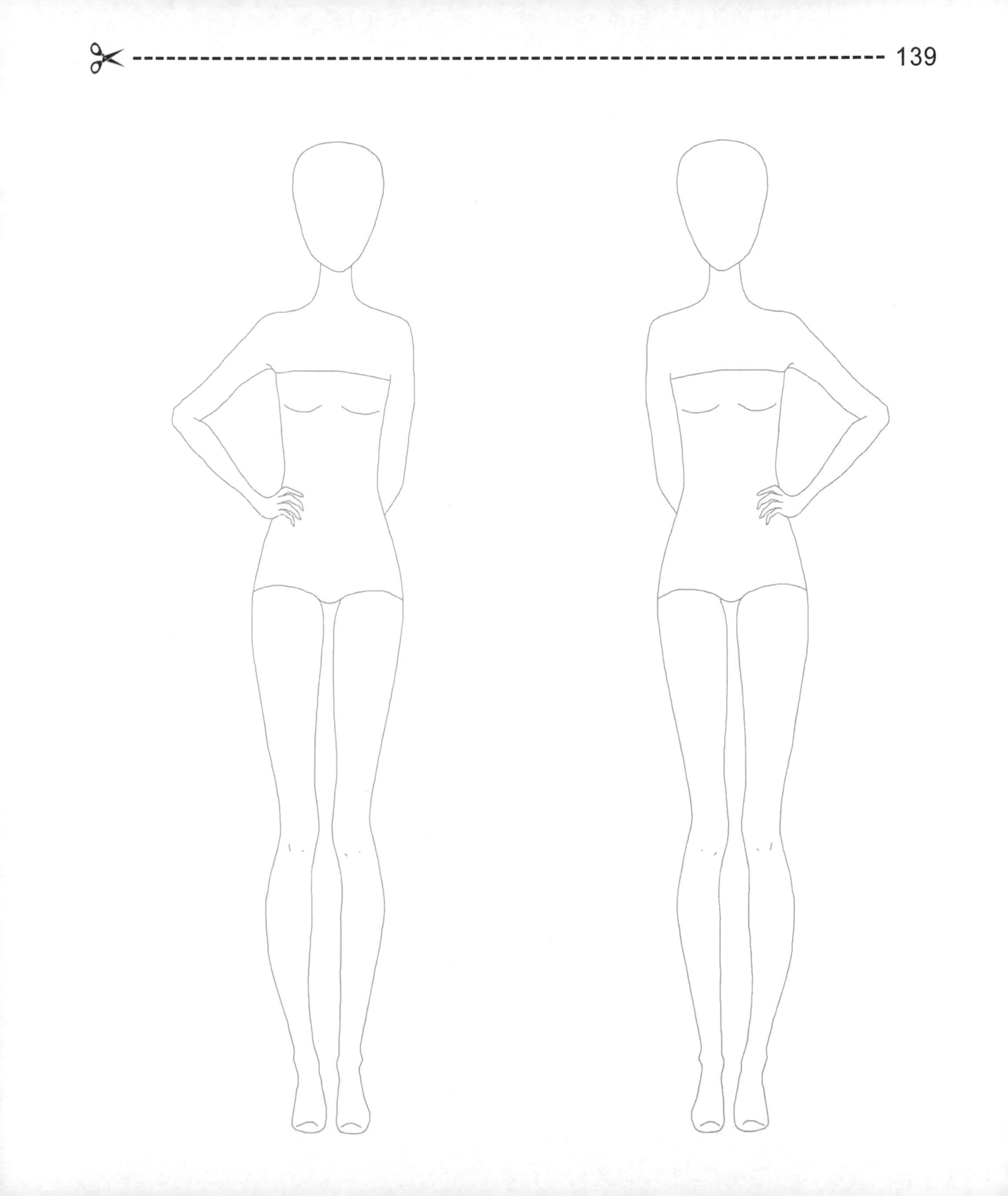

Krok II. Szyjemy

Użyty materiał – gabardyna
Ilość materiału – 1 metr
Nici – poliestrowe
Igła – klasyczna, gruba

1. Składamy materiał na pół, tak aby linia środka przodu i tyłu wypadała na zgięciu.
2. Zanim przypniemy formę do materiału, musimy rozciąć zaszewkę dopasowującą i złożyć zaszewkę boczną w przodzie. W jakim celu? Gdy macie rozciętą zaszewkę pionową i składacie boczną, forma automatycznie Wam się rozszerza, co sprawia, że mamy już efekt rozkloszowania.
3. Teraz możecie przypiąć formę szpilkami do materiału, odrysować ją i wydłużyć. Moja

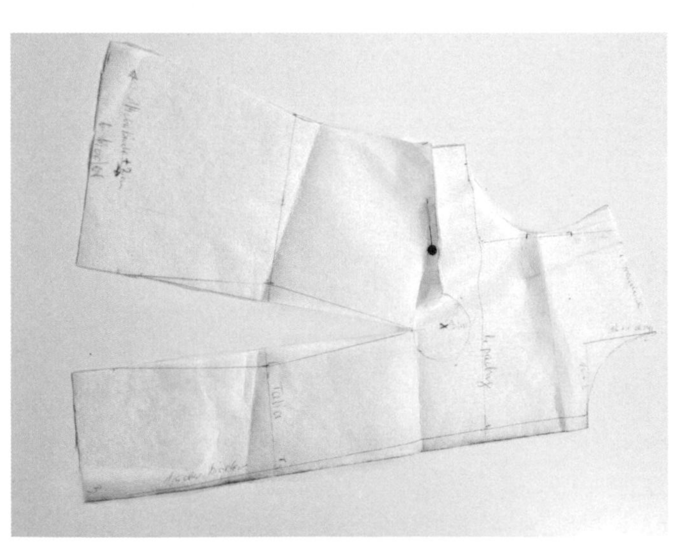

sukienka ma długość 80 cm. Pamiętajcie, żeby dodać po bokach po 1 cm na szwy plus zapas na podwinięcie dołu około 3 cm.

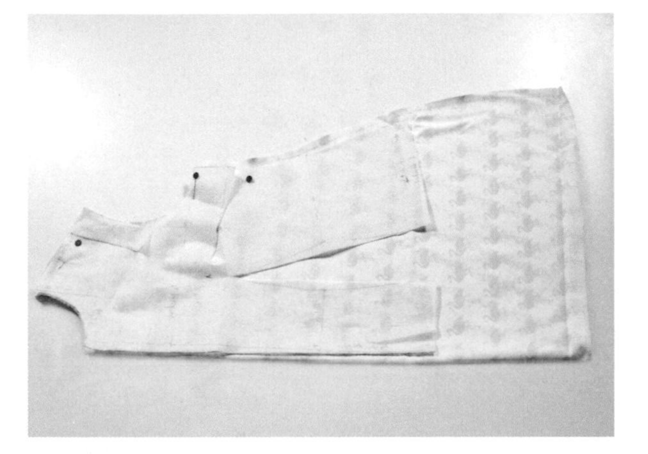

4. Następnie wycinamy przód i tył sukienki oraz łączymy je ze sobą standardowo (czyli prawa strona do prawej) na linii ramion i boków.

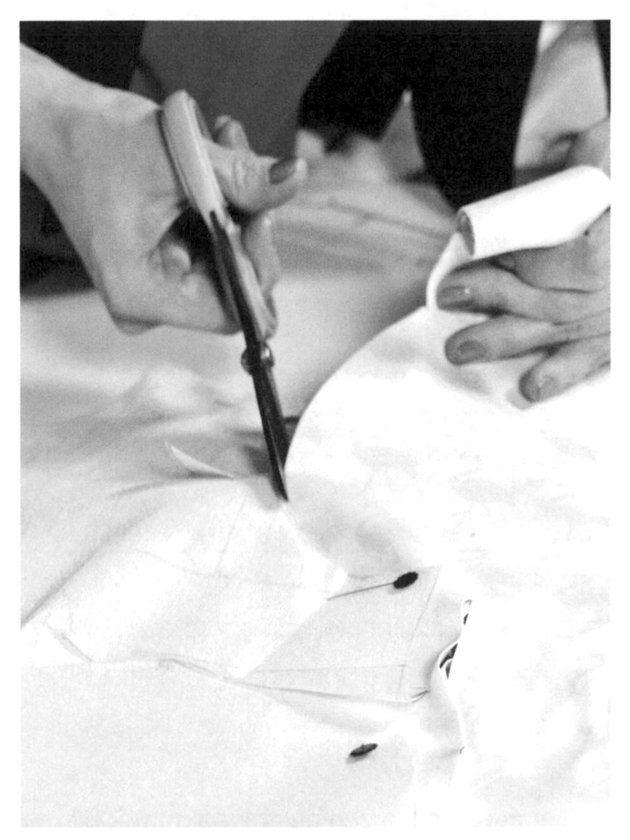

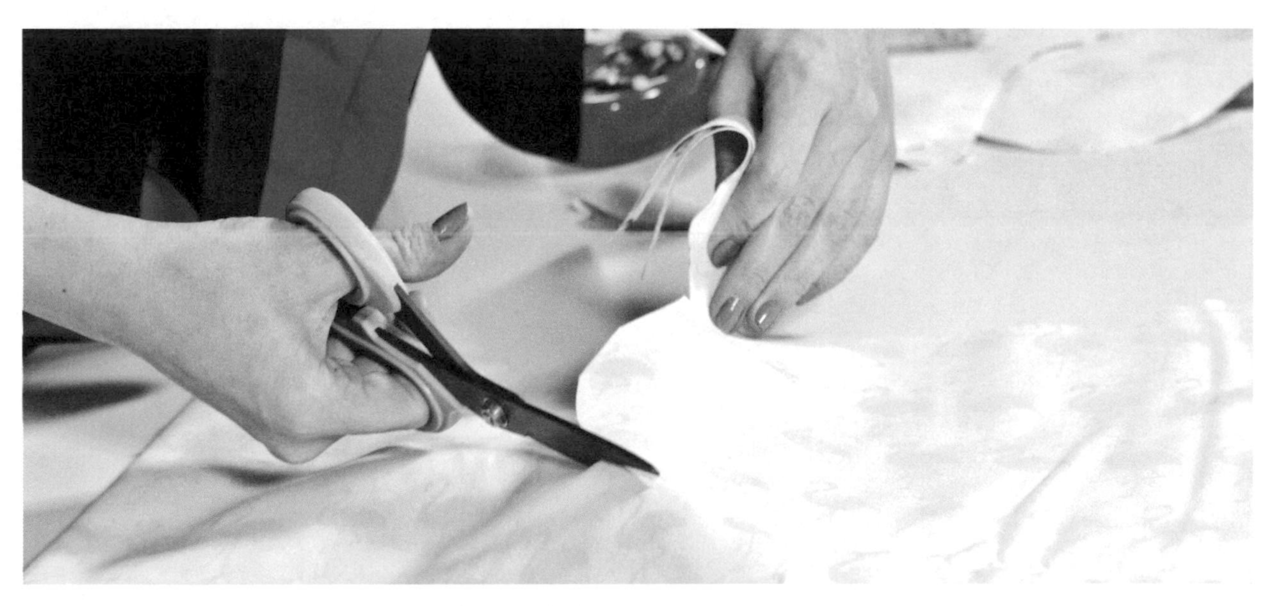

5. Sukienka czeka na zszycie, ale zanim to zrobimy, możecie teraz wyciąć rękawki. Korzystamy tutaj oczywiście z formy na rękaw. Jedyne, co musicie sprawdzić, to długość rękawa. Jeśli chcecie mieć krótki, należy skrócić formę. Zachęcam Was do zajrzenia na koniec książki, gdzie czeka film, w którym krok po kroku omawiam poszczególne etapy. Rękawy odrysowane i wycięte? To szyjemy.

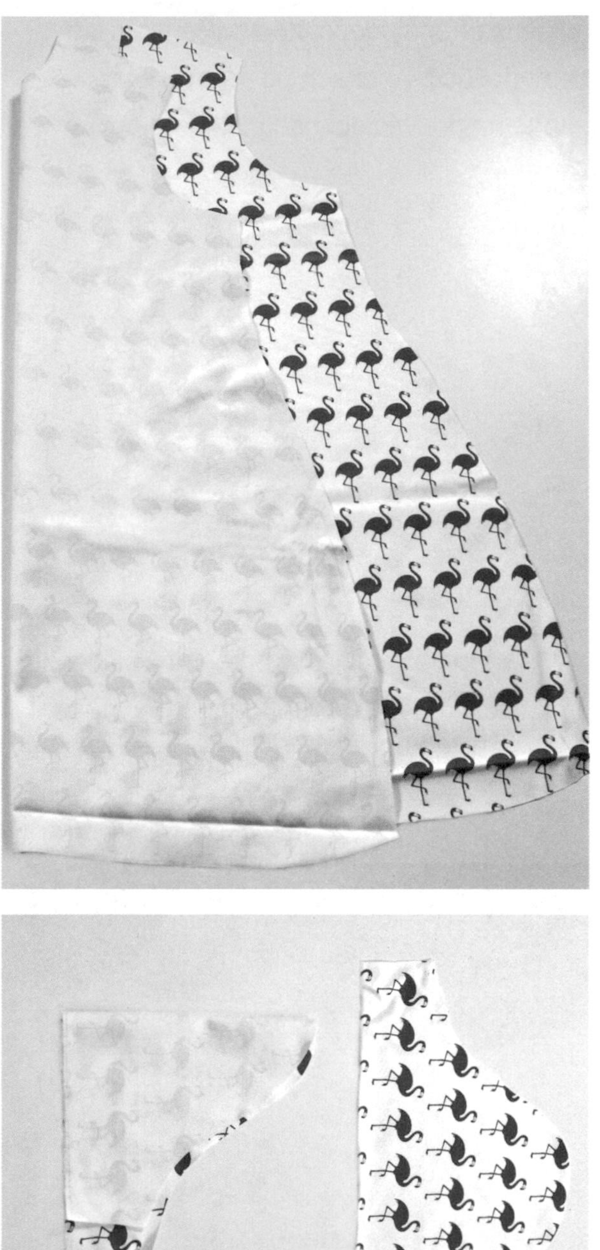

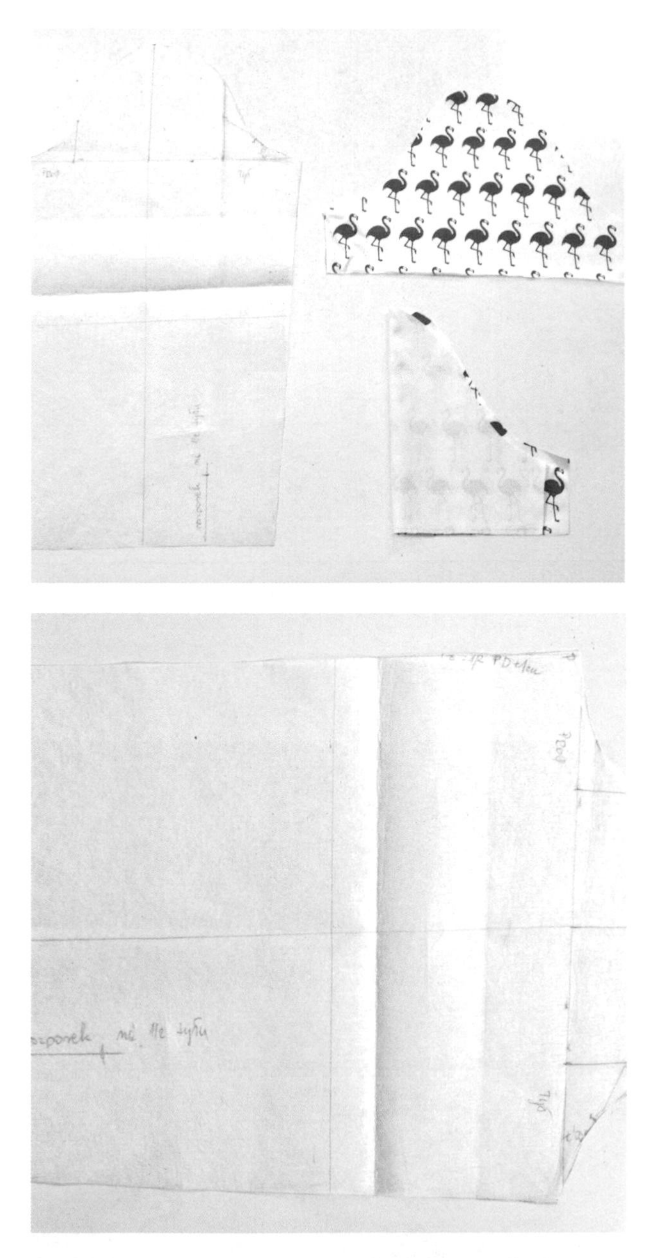

6. Najpierw zszywamy sukienkę na linii ramion, a następnie boki. Sukienkę na chwilę odkładamy na bok i zabieramy się do rękawków.

7. Zszywamy rękaw, obrzucamy na overlocku jego dół, podwijamy i stebnujemy lub (jeśli nie macie overlocka) zawijamy dół rękawa dwa razy i przeszywamy po prawej stronie 1 cm od brzegu. Gotowy rękaw wpinamy do sukienki. Jak? Spójrzcie na filmik, bo ciężko jest to opisać słowami, łatwiej pokazać. Tutaj pamiętajcie tylko o wdawaniu główki rękawa, żeby się później nie marszczyła i dobrze układała.

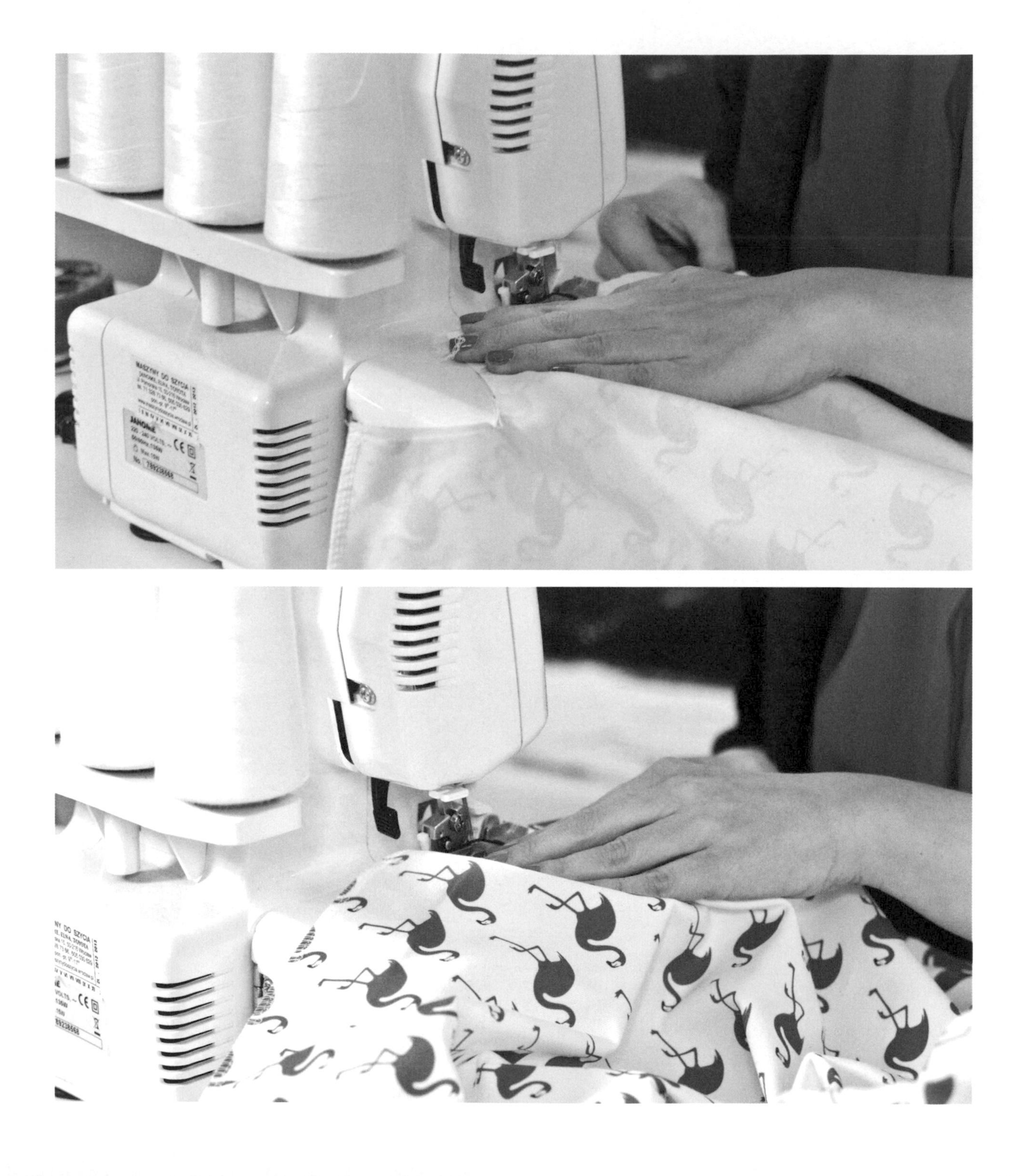
MASZYNY DO SZYCIA
JANOME

8. Wpięty rękaw przyszywamy zwykłym ściegiem prostym, brzeg możemy obrzucić na overlocku lub zygzakiem.

9. Teraz zostały nam do wykończenia tylko dół i dekolt.

10. Dół standardowo proponuję podwinąć dwa razy i przeszyć po prawej stronie lub obrzucić na overlocku, podwinąć i również przeszyć. To najprostsza i najszybsza metoda.

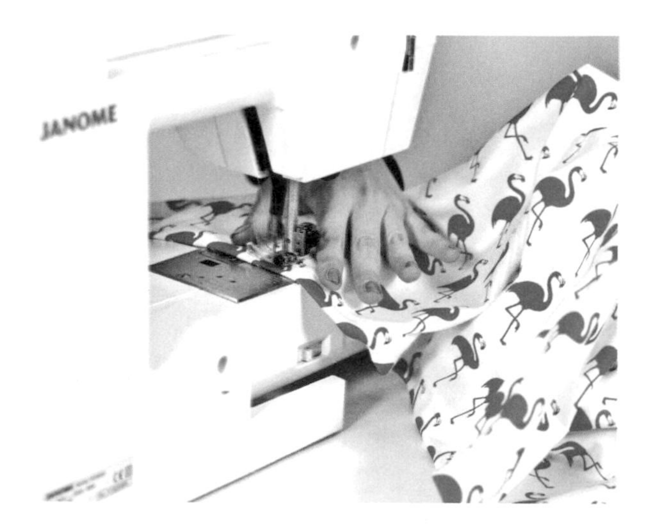

11. Przy dekolcie mamy większe pole do popisu. Można zrobić odszycie, pliskę albo po prostu zawinąć dwa razy (tak jak dół) i przeszyć. Najładniej będzie wyglądało odszycie, bo nie będzie widoczne.

12. Żeby zrobić dobrze dopasowane odszycie, musimy złożyć sukienkę na pół, tak aby w jednej linii mieć połowę dekoltu (kawałek przodu i tyłu). Kładziemy sukienkę na materiał i odrysowujemy podkrój dekoltu, dodając po 1 cm po obu krótszych bokach. Następnie zaznaczamy szerokość prostokąta wygiętego w rogal (bo tak to wygląda finalnie) i wycinamy dwa takie prostokąty.

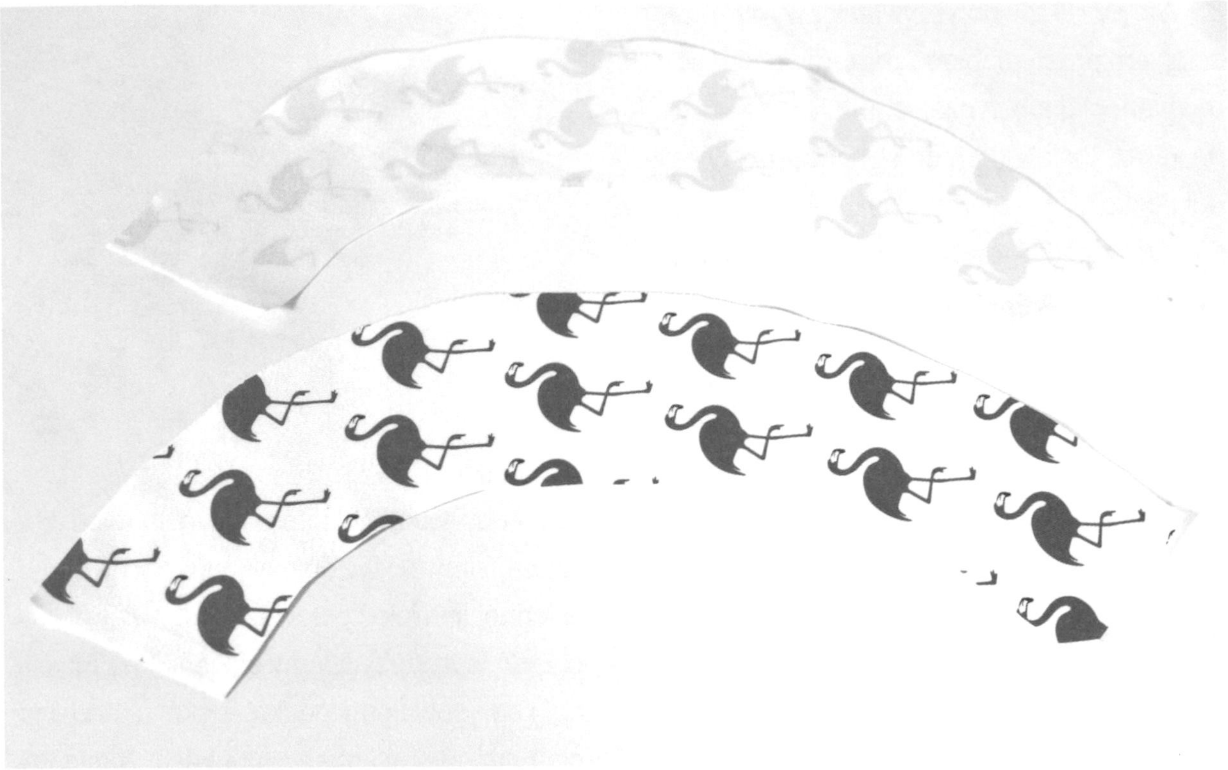

13. Łączymy je teraz zwykłym szwem na krótszych bokach i przypinamy do podkroju szyi sukienki prawą stroną do prawej. Przeszywamy dookoła dosłownie 0,5 cm od brzegu.

14. Przyszyty podkrój wywijamy do środka i stebnujemy po prawej stronie odszycia, pilnując, żeby szew pod spodem był pod igłą. Taki zabieg to tzw. magiczna stebnówka, która sprawia, że odszycie nie będzie nam się wywijało ani podchodziło, nie jest też widoczne na prawej stronie sukienki.

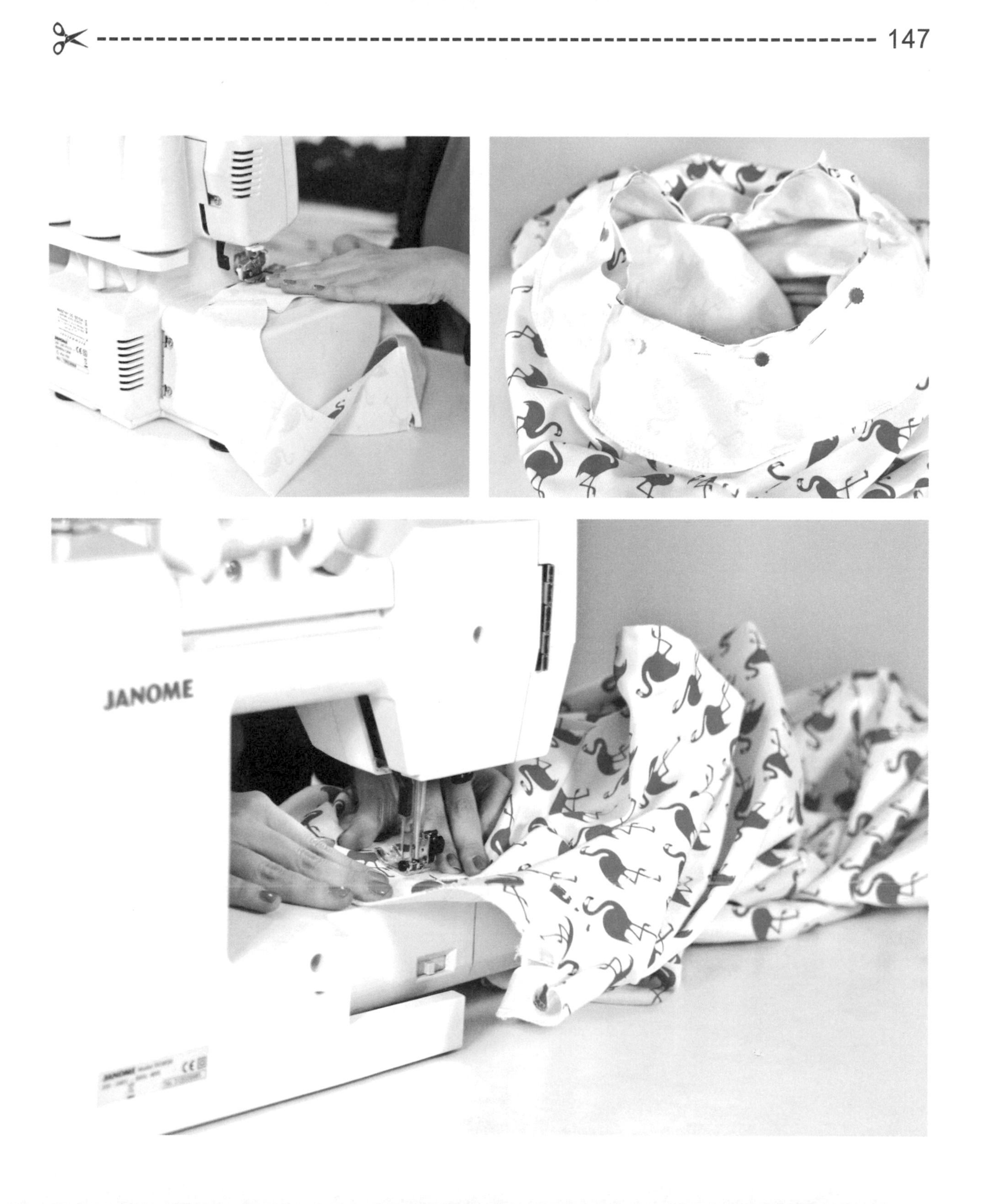
JANOME

Tu narysuj swój projekt.

Spódnica

Szukaj podpowiedzi na płycie

Drugą podstawową formą, którą i ja miałam okazję wykonać na początku swojej drogi, była właśnie forma na spódnicę, z której później łatwo jest uszyć klasyczną spódnicę z zaszewkami czy dzianinową spódnicę ołówkową. W tym podrozdziale pokażę Wam również, jak szybko i w bardzo łatwy sposób uszyć spódnicę z koła. W końcu szycie to nie muszą być tylko wzory, linijki i wykroje. **Przede wszystkim musimy się nim bawić, szaleć, eksperymentować!**

Do przygotowania wykroju na papierze potrzebujemy dokładnie tych samych rzeczy co przy wykroju na bluzkę, dlatego jeśli jeszcze nie zapamiętaliście, co dokładnie potrzeba, to odsyłam Was do punktu „Bluzka".

Krok I. Zdejmujemy miarę

Zanim zabierzemy się do wyliczania i rysowania, musimy się dobrze zmierzyć. Do wykroju na spódnicę będziecie potrzebować następujących wymiarów (sposób, jak je zmierzyć, znajdziecie powyżej w punkcie „Pomiary").

Krok II. Rysujemy przód i tył spódnicy

1. Wykrój, który sobie wspólnie za chwilę narysujemy, będzie odpowiadał połowie przodu i połowie tyłu spódnicy. Zaczynamy? Oczywiście!

Rozkładamy arkusz papieru na płasko i rysujemy z lewej strony linię pionową, czyli zaznaczamy długość naszej spódnicy. Zostawcie trochę miejsca na górze papieru, wystarczy 5 cm W ten sposób powstanie linia TD.

2. Teraz talię (a właściwie jej połowę) możecie zaznaczyć linią poziomą, czyli T1T.

3. Kolejny punkt do narysowania to linia T1B1, czyli wysokość od talii do bioder. I tutaj wiecie już z wykroju na bluzkę, że jest to zawsze 1/4 obwodu bioder (nic więcej nie dodajemy).

4. Następnie musicie narysować połowę szerokości swoich bioder, czyli linię B1B. Łączycie też punkty D1D.

5. Kolejny punkt to zaszewki. Tył spódnicy różni się od przodu właśnie długością zaszewek. Jak je wyliczyć? Do ich wyliczenia potrzebna jest nam różnica między talią a biodrami, czyli 1/2 obt – 1/2 ot. Dla przykładu połowa mojej talii to 40 cm, a połowa bioder 50,5 cm, czyli 50,5 – 40 = 10,5 cm. Wartość, która Wam wyjdzie, musicie podzielić na zaszewki.

Nazwa odcinka:	Tu wpisz swoje wymiary:
ZWo	
ot	
obt	
TD – długość całkowita spódnicy (klasyczna spódnica ma 50 cm)	

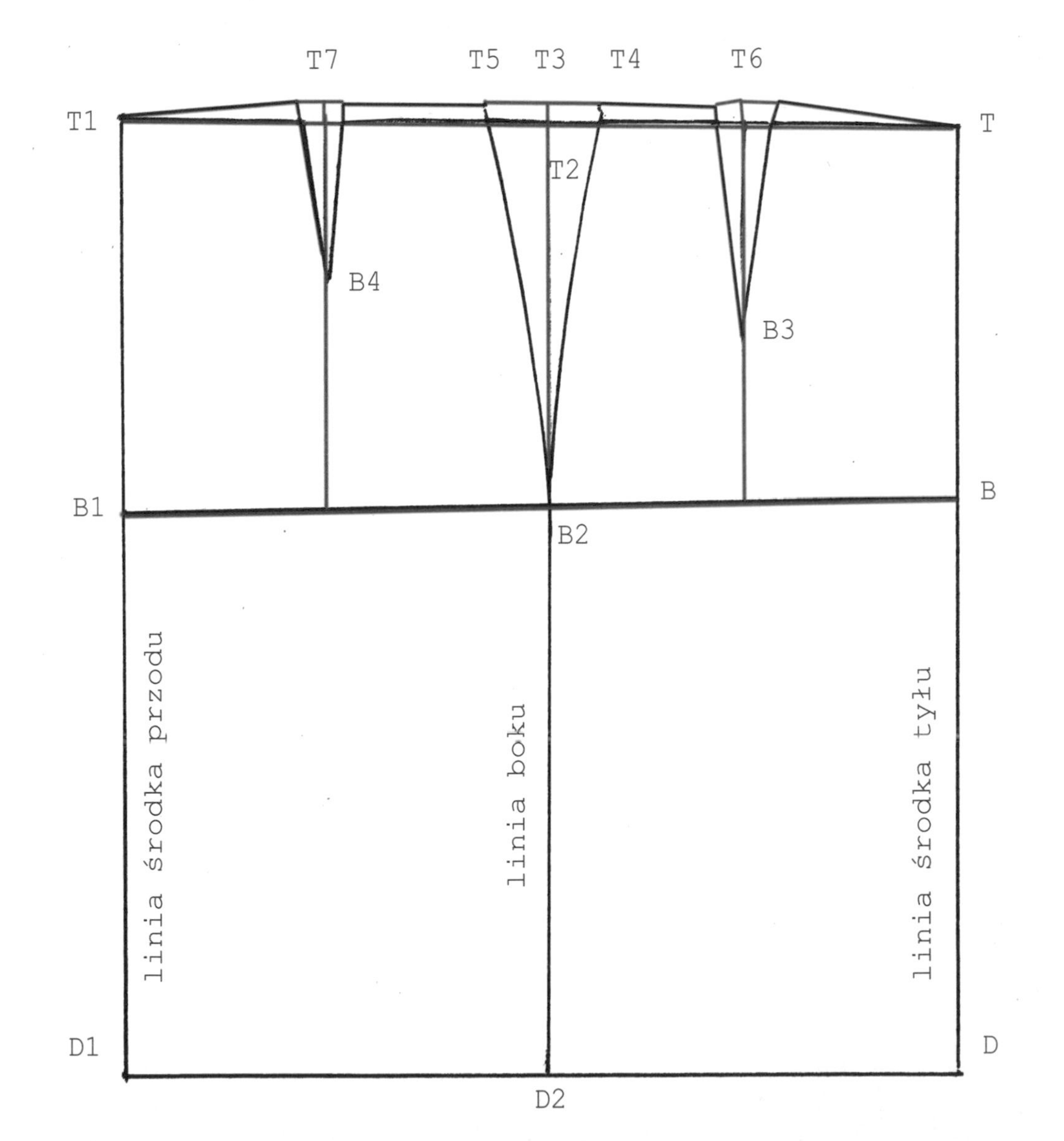

10,5 cm rozkładamy następująco:
— 1/3 z 10,5 cm, czyli 3,5 cm, idzie na przód,
— 2/3 z 10,5 cm, czyli 7 cm, idzie na tył.

6. Teraz musimy podzielić te 3,5 cm w przodzie na szerokość zaszewki i zapas w szwie bocznym. Stała wartość zaszewki to 2 cm, a to, co Wam zostanie (1,5 cm), idzie na bok. Tak samo w tyle, z tym że stała wartość zaszewki w tyle to 3 cm, a resztę wybieramy w boku.

7. Długość zaszewki w przodzie to zawsze 8 – 9 cm B4, a w tyle 13 – 14 cm (stałe wartości) B3.

8. Teraz możemy zaznaczyć nasze zaszewki na formie. Najpierw wybieramy wartości na bokach i łączymy z punktem B2.

9. Później dzielimy odcinek T1T5 i T4T na pół i właśnie tu będą nasze zaszewki.

10. Następnie na linii boku (T3D2) podwyższamy talię o 1 cm (stała wartość) i łączymy ją z brzegiem zaszewki pod kątem.

To samo wykonujemy w tyle i forma na spódnicę podstawową na Wasze wymiary jest już gotowa.

11. Pamiętajcie tylko, że linia T1D1, czyli przód, i linia TD, czyli tył, to linie środka przodu oraz tyłu. Teraz możecie tylko rozciąć wykrój po linii boku oraz zaszewki i macie gotowe połówki przodu i tyłu spódnicy.

Szyjemy spódnicę ołówkową!

Użyty materiał – dzianina
Ilość materiału – 1 metr
Nici – elastyczne
Igła – kulkowa

1. Kładziemy formę naszej spódnicy na dzianinie w taki sposób, aby środek przodu i środek tyłu były na zgięciu, dzięki czemu wytniecie od razu dwie całe części. Przypinamy szpilkami formę do dzianiny, żeby nam się nie przesunęła. Pamiętajcie, że teraz musicie złożyć zaszewki, jeśli nie chcecie ich robić. Bo jeśli tego nie zrobicie, to po wycięciu okaże się, że Wasza talia jest o 4 cm za szeroka. Odrysowując wykrój na materiale, zostawiamy po 1 cm na bokach na szwy.

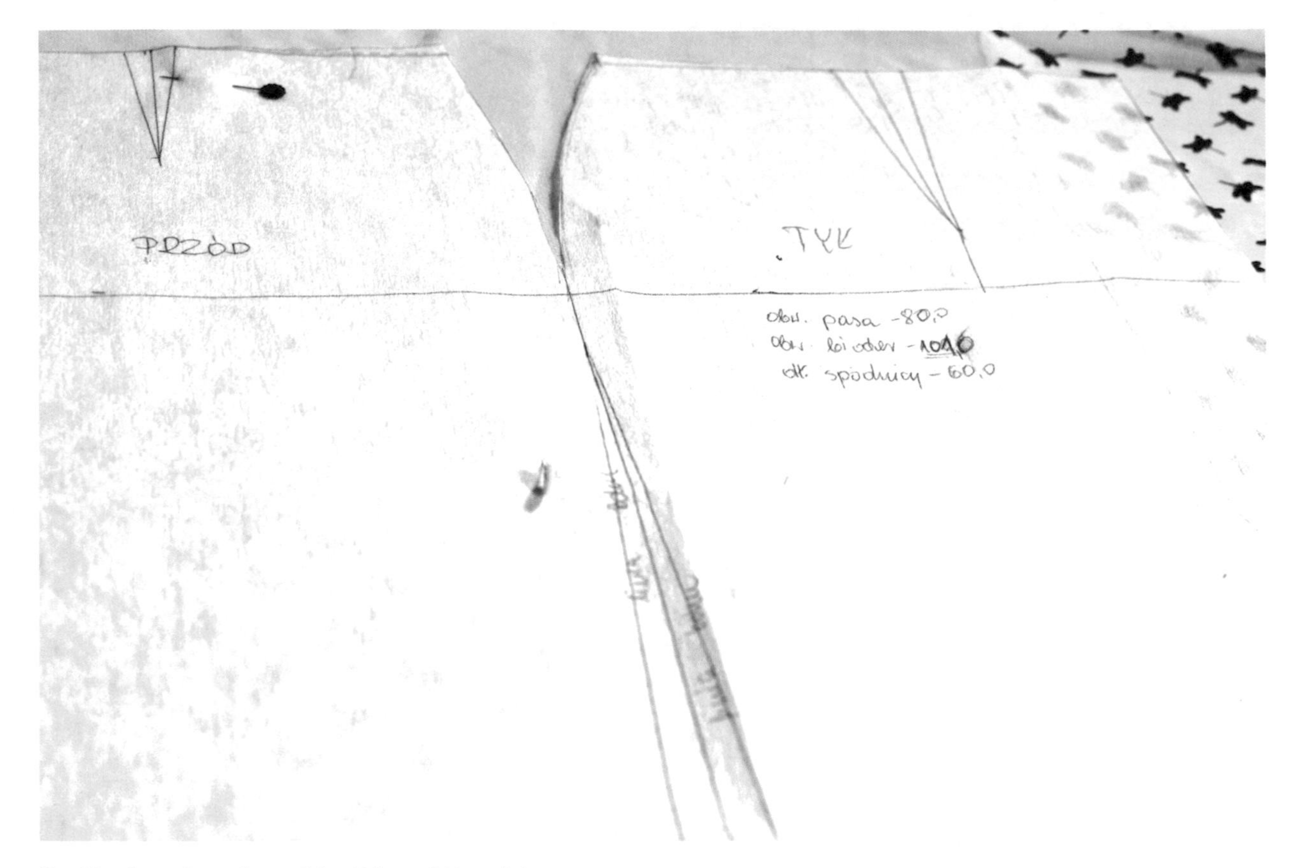

2. Następnie od punktu B2 w dół wybieramy po kilka centymetrów w zależności od tego, jak dopasowany ma być nasz „ołówek”. Najlepiej zmierzyć sobie obwód nad kolanami i odjąć od obwodu bioder. Powstanie nam różnica, którą trzeba będzie wybrać na bokach.

3. Teraz można odrysować formę na dzianinie, pamiętając tylko, że musimy zostawić po 1 cm na szwy po bokach oraz zapas na założenie na dole spódnicy. Tutaj też jest jedna ważna rzecz, na którą musicie zwrócić uwagę! Jaka? Zerknijcie na filmik.

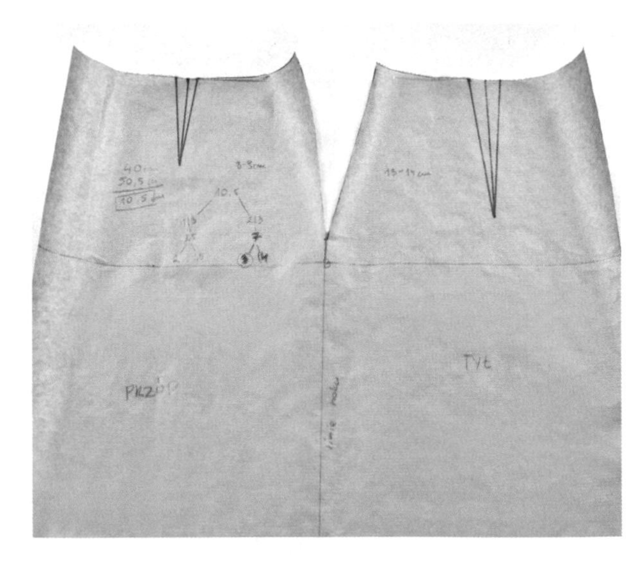

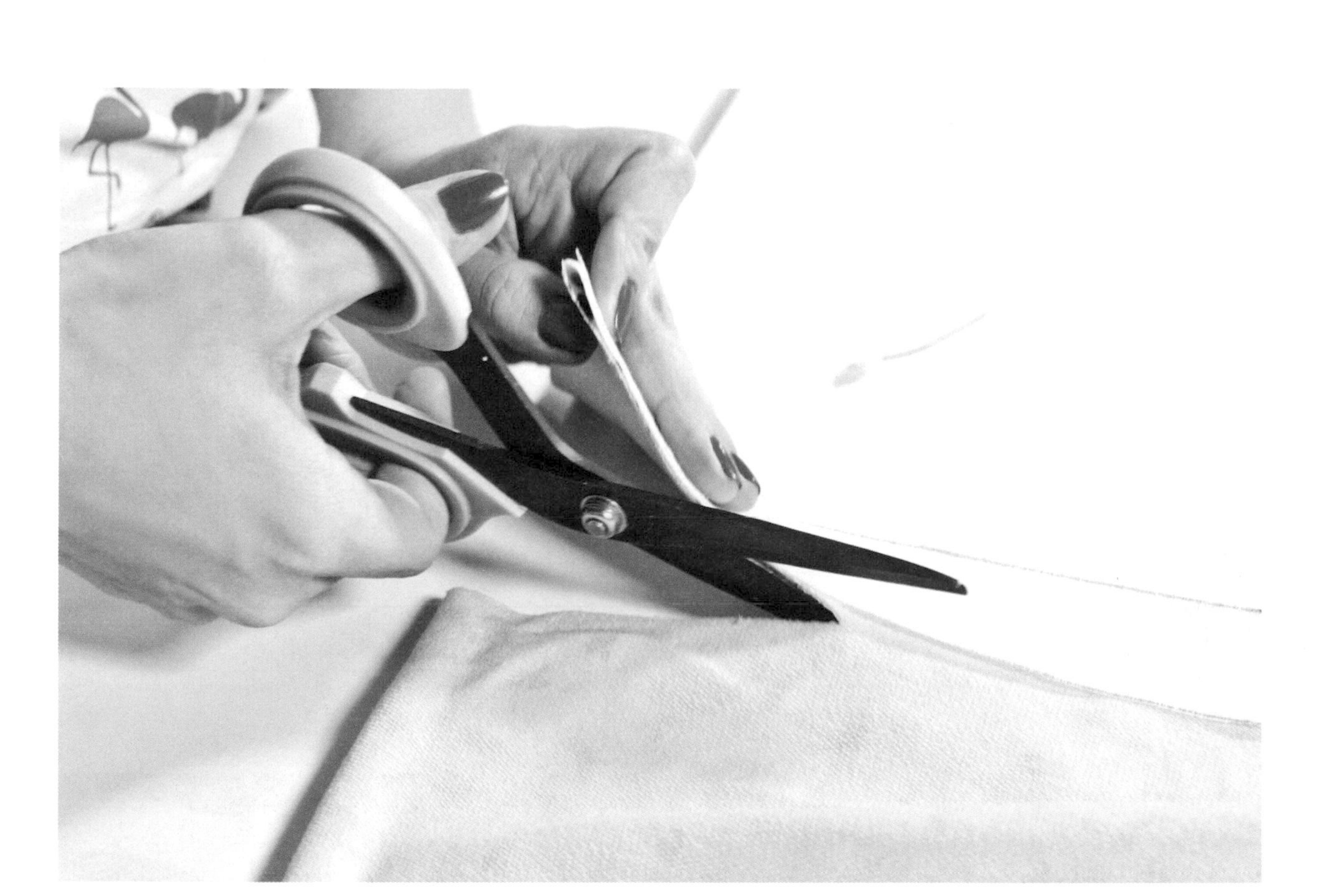

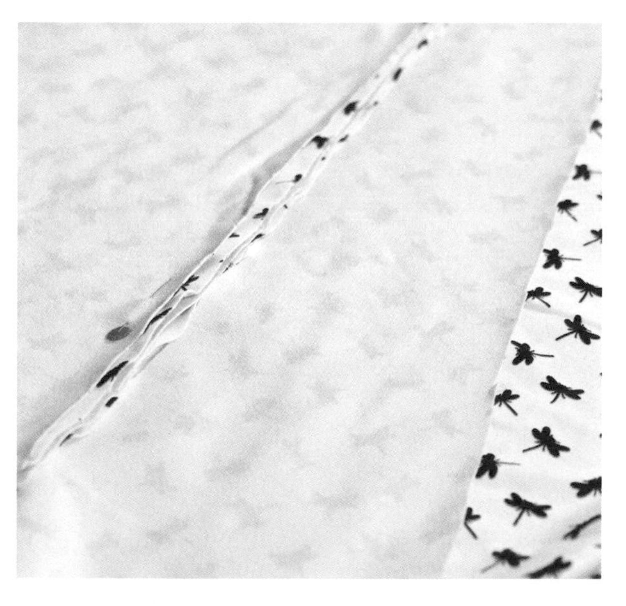

4. Wykrój odrysowany i wycięty? No to teraz możemy połączyć przód z tyłem. Kładziemy tył prawą stroną do góry, na to nakładamy przód prawą stroną do dołu i spinamy szpilkami.

5. Szyjemy! Ja najpierw łączę boki na overlocku, a później wzmacniam jeszcze szew zwykłym ściegiem na maszynie wielofunkcyjnej. Wy (jeśli nie macie overlocka) możecie od razu szyć zwykłym ściegiem i użyć później zygzaka lub funkcji overlocka, jeśli Wasza maszyna taką posiada.

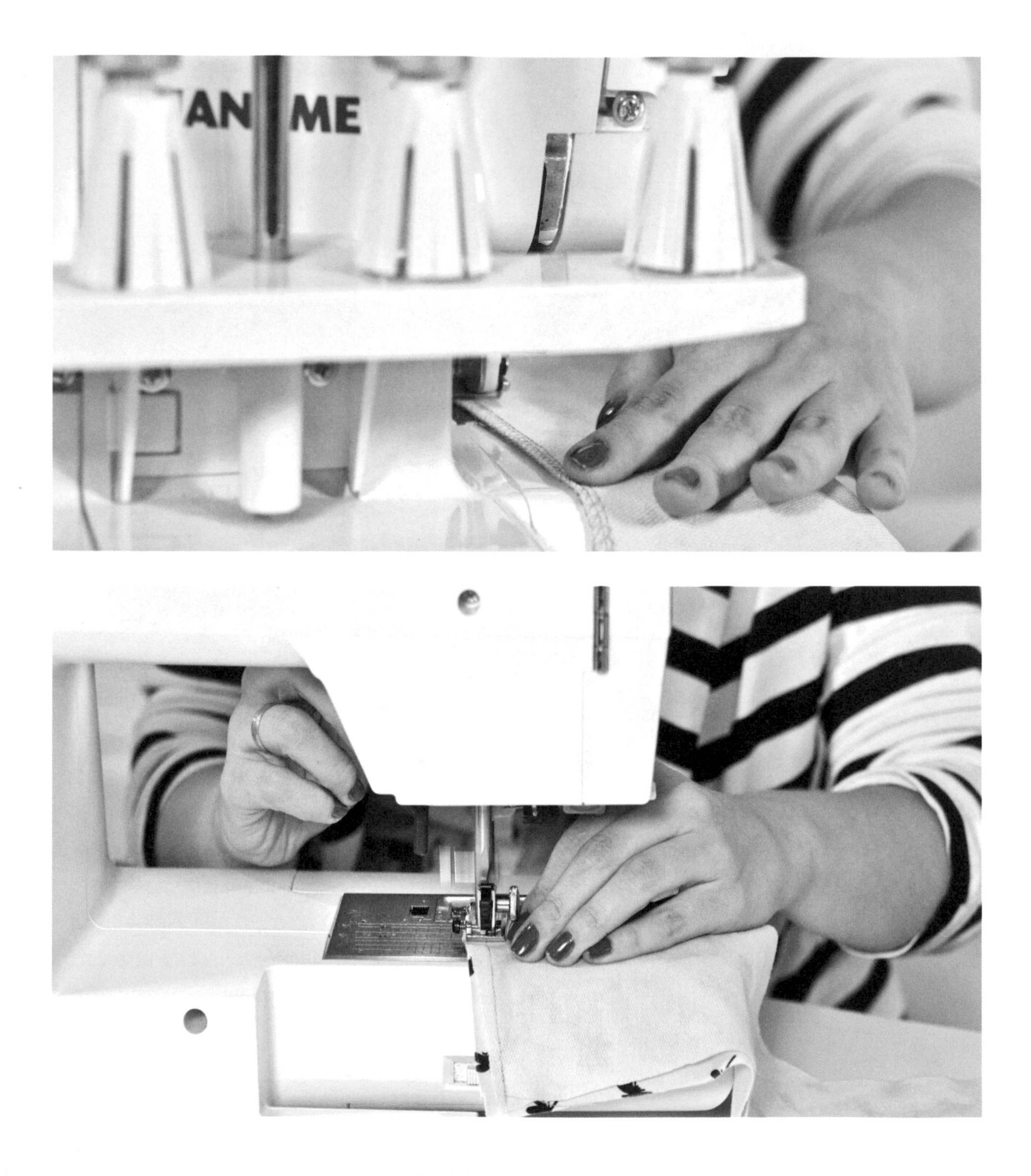

6. Spódnica jest już prawie gotowa. Zostało nam tylko wykończenie dołu. Tutaj przy dzianinie możecie zostawić ją niewykończoną, surową, skorzystać z overlocka lub, najprościej, podwinąć dół dwa razy i przestebnować po prawej stronie zwykłym ściegiem prostym.

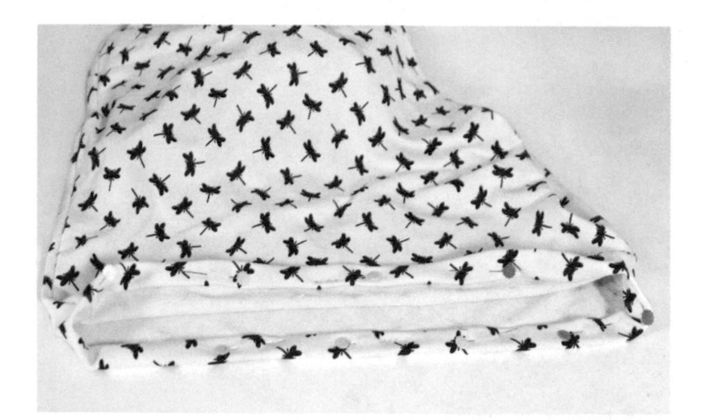

7. No i została nam już tylko góra. Tutaj najprościej będzie zrobić pasek z tej samej dzianiny co spódnica. W tym celu wycinamy prostokąt o wymiarach: wysokość to np. 10 cm (po złożeniu pasek będzie miał 5 cm), a długość paska to obwód pasa. Pamiętajcie, że paski w dzianinie powinny być wycinane po szerokości materiału, a nie po długości. Cięcie po szerokości sprawia, że pasek jest bardziej elastyczny, bardziej się naciąga i pracuje. W tej sytuacji paska musi być też nieco mniej, niż wynosi Wasz obwód. Sugeruję, żeby był on o 5 cm krótszy. Dzięki temu podczas wszywania musimy lekko naciągać pasek, co spowoduje, że będzie on lepiej trzymał spódnicę. Osoby, które chcą mieć co do tego pewność, mogą do takiego paska wpuścić jeszcze gumkę. Ja pasek wszywam za pomocą overlocka, ale można to również zrobić na maszynie wielofunkcyjnej. Po wykonaniu tej czynności mamy gotową spódnicę. Teraz pozostaje już tylko z niej się cieszyć i ją nosić.

JANOME

Tu narysuj swój projekt.

Skoro umiecie już uszyć spódnicę klasyczną i ołówkową według wykroju na własne wymiary, czas na spódnicę z koła, która wbrew pozorom jest bardzo prosta do szycia.
Ja sobie wymyśliłam taką:

Szyjemy spódnicę z koła

Szukaj podpowiedzi na płycie

Użyty materiał – gabardyna
Ilość materiału – 2 metry
Nici – elastyczne
Igła – klasyczna, gruba

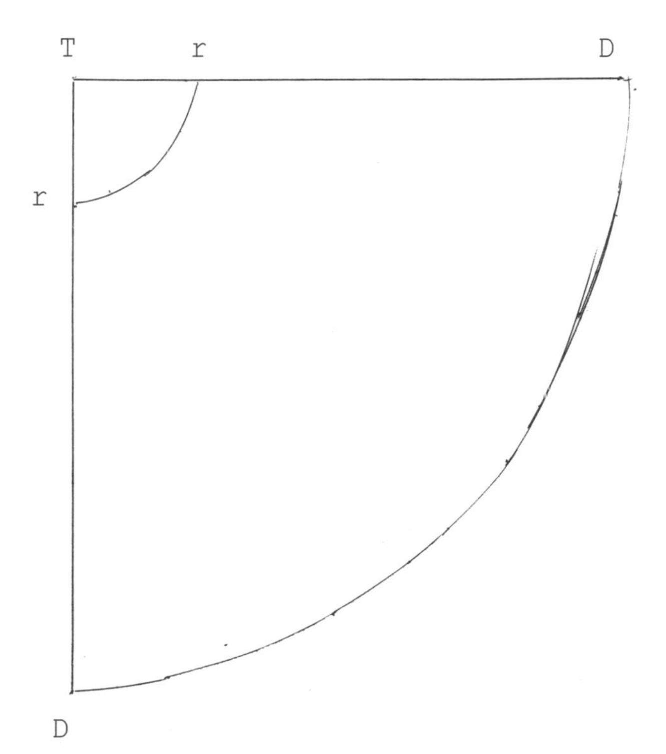

1. Składamy materiał na cztery części. Jak to zrobić? Każdy materiał ma swoją szerokość. Standardowa to 140 – 150 cm. Składamy więc materiał po szerokości materiału, a następnie jeszcze raz na pół, ale po długości, dzięki czemu otrzymujemy cztery warstwy materiału (zwróćcie przy tym uwagę, czy boki nie są rozcięte). Jeśli nie, jest dobrze. Zapraszam do filmu.

2. Musimy teraz obliczyć promień, który będzie potrzebny do zaznaczenia linii talii. Obliczamy go, korzystając ze wzoru na promień koła, czyli: *r = (1/2 obwodu talii + 1 cm): π (3,14)*, np. 41 : 3,14 = 13 cm (to jest mój promień). Jeżeli wzór wydaje się Wam zbyt skomplikowany, zawsze możecie skorzystać z uproszczonej wersji, czyli 1/6 obwodu talii, i powinno Wam wyjść to samo.

3. Teraz zaznaczamy nasz promień (r) w rogu materiału na jednym i drugim boku oraz po półkolu (Jak? Zerknijcie na filmik). W ten sposób macie zaznaczoną swoją talię.

4. Kolejny krok to zaznaczenie na materiale długości Waszej spódnicy TD. Zaznaczacie ją tak samo jak promień, ale już od linii talii — dwa boki i później po półkolu, a następnie łączycie punkciki.

5. Teraz możecie wyciąć spódnicę i właściwie jest już gotowa. Nie musicie zszywać boków. Wystarczy tylko wykończyć dół — i tu można zrobić dokładnie tak samo jak przy spódnicy ołówkowej, czyli zawijamy dwa razy i przeszywamy po prawej stronie 1 cm od brzegu. Jeśli posiadacie overlock, obrzucacie dół, podwijacie i przeszywacie po prawej stronie.

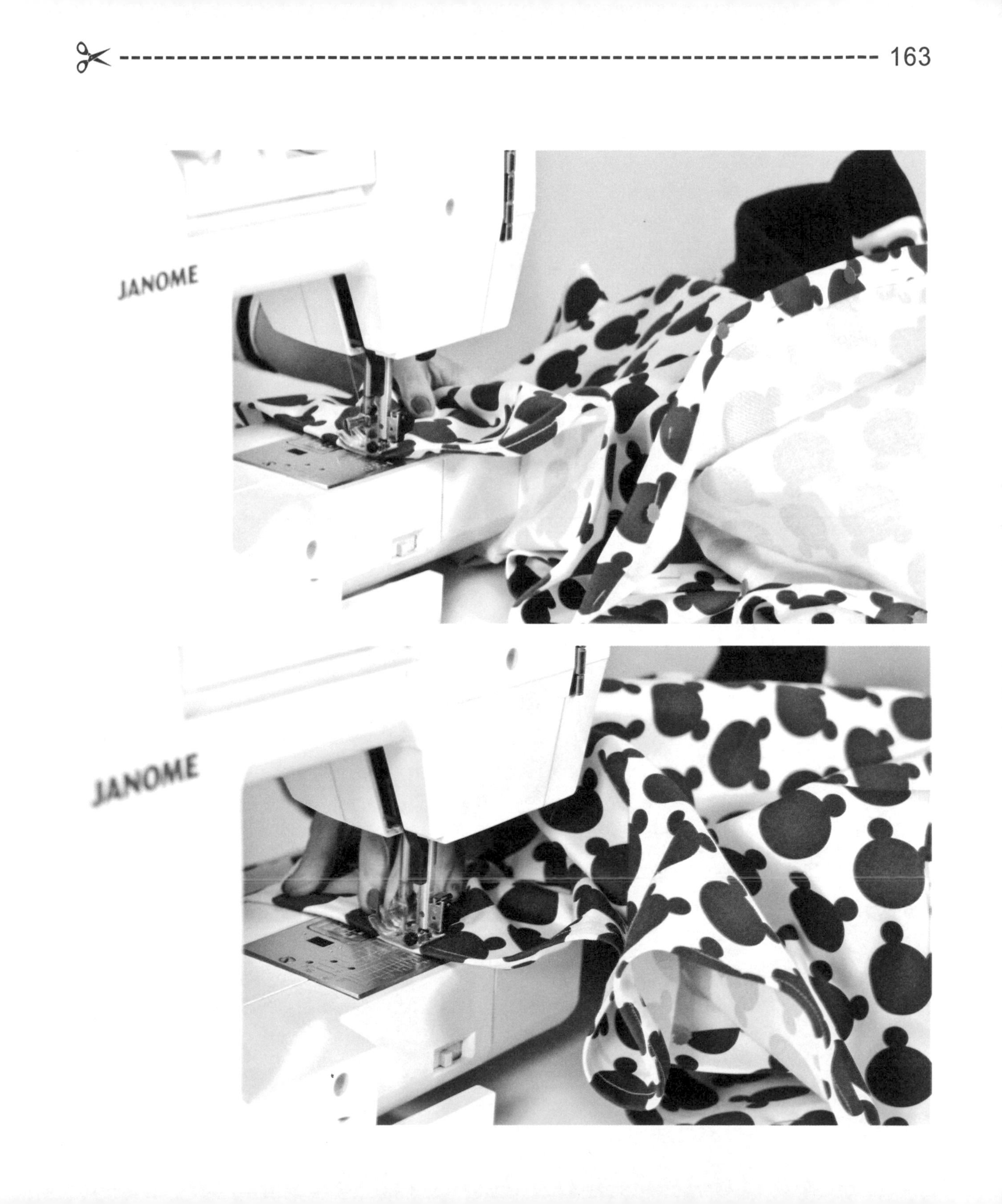
JANOME
JANOME

6. Proponuję wykonać pasek w wersji ściągacza, który będzie bardzo prosty do zamocowania i wygodny w użytkowaniu. Pasek wycinamy dokładnie tak samo jak w spódnicy powyżej, czyli wycinamy prostokąt ze ściągacza po szerokości (wysokość np. 10 cm, długość to obwód pasa minus 5 cm), zszywamy boki paska i przyszywamy do spódnicy, jednocześnie naciągając pasek przy wszywaniu. I gotowe!

JANOME

Tu narysuj swój projekt.

Getry

Szukaj podpowiedzi na płycie

Mamy już koszulkę, bluzę i spódnicę. Przyszła pora na coś bardziej uniwersalnego, czyli na getry. Dresowe getry na przykład z obniżonym krokiem to pomysł nie tylko dla kobiet, ale również dla mężczyzn i dzieci. Czas więc zrobić formę na getry. Do jej przygotowania będziecie potrzebowali dokładnie te same rzeczy co w poprzednich wykrojach. Lista znajduje się powyżej w punkcie „Pomiary".

Krok I. Zdejmujemy miarę

Do zrobienia wykroju na getry będziecie potrzebować następujących wymiarów (sposób, jak je zmierzyć, znajdziecie powyżej w punkcie „Pomiary").

Krok II. Rysujemy

1. Pokażę Wam, jak w prosty sposób zrobić wykrój na getry, które mogą być świetną propozycją dla całej rodziny. Taki wykrój zrobicie bardzo szybko, a później uszycie getrów czy spodni z dzianiny z nieco niższym krokiem będzie już błahostką. Możecie uszyć getry dla siebie i swoich bliskich, korzystając właśnie z tego pomysłu.

2. Składamy papier na pół, ponieważ złożenie będzie środkiem naszych getrów.

3. Linią poziomą na górze zaznaczamy 1/4 obwodu talii.

4. Następnie zakreślamy na papierze wysokość od talii do bioder. Jak już wiecie, jest to 1/4 Waszego obwodu bioder + 1 cm (chyba że chcecie mieć je szersze, wtedy dajemy większy zapas). Linią poziomą możecie teraz zaznaczyć 1/4 obwodu bioder.

5. Po zaznaczeniu bioder musicie określić położenie krocza, czyli jego głębokość.

Nazwa odcinka:	Tu wpisz swoje wymiary:
Długość całkowita	
Obwód talii	
Obwód bioder	
Głębokość krocza	
Obwód uda	
Obwód łydek	
Obwód kostki lub dołu nogawki	

6. Teraz pozostaje nam oznaczenie długości całkowitej getrów.

7. Kolejny krok to zaznaczenie kolana i ustalenie szerokości uda, łydki i kostki (lub miejsca, w którym getry mają się kończyć).

8. Pamiętajcie, że rysujecie tylko jedną nogawkę przodu, czyli musicie zaznaczyć 1/2 obwodu uda, łydki i kolana. Wszystkie punkty oznaczcie sobie linią poziomą, będzie Wam łatwiej wyprowadzić linię nogawki po wewnętrznej i zewnętrznej stronie.

9. Łączymy linie między punktami, wyprowadzając brzegi nogawki.

10. Teraz pozostaje nam wyciąć formę oraz ją rozłożyć i mamy gotowy przód getrów. Tył będzie wyglądał tak samo, ponieważ przy getrach (zwłaszcza z obniżonym krokiem) nie musimy robić zapasu na pośladki.

11. I już możemy szyć!

Użyty materiał – dzianina
Ilość materiału – 1 metr
Nici – elastyczne
Igła – kulkowa

Krok III. Szyjemy

1. Przykładamy wykrój do materiału złożonego na pół, tak aby złożenie było środkiem przodu lub tyłu. Przypinamy wykrój szpilkami do materiału, żeby nam się nie przesunął podczas wycinania, odrysowujemy mydełkiem, zostawiając zapas na szwy — standardowo 1 cm — i wycinamy części.

2. Czynność powtarzamy dwa razy, tak aby wyciąć przód i tył.

3. Następnie kładziemy jedną część prawą stroną do góry, na nią nakładamy drugą część prawą stroną do dołu, tak aby dwie prawe strony się ze sobą złączyły, i spinamy je szpilkami.

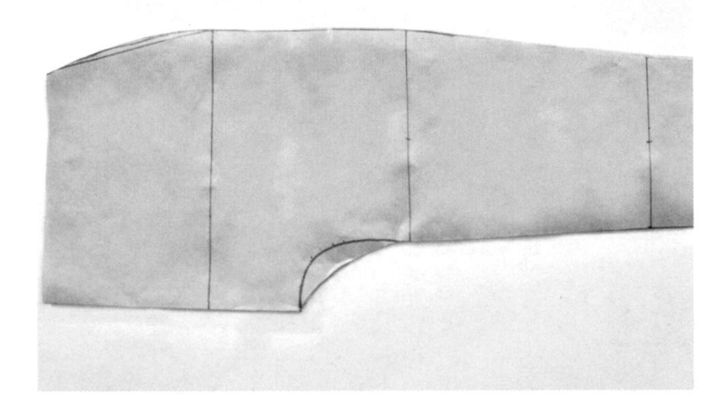

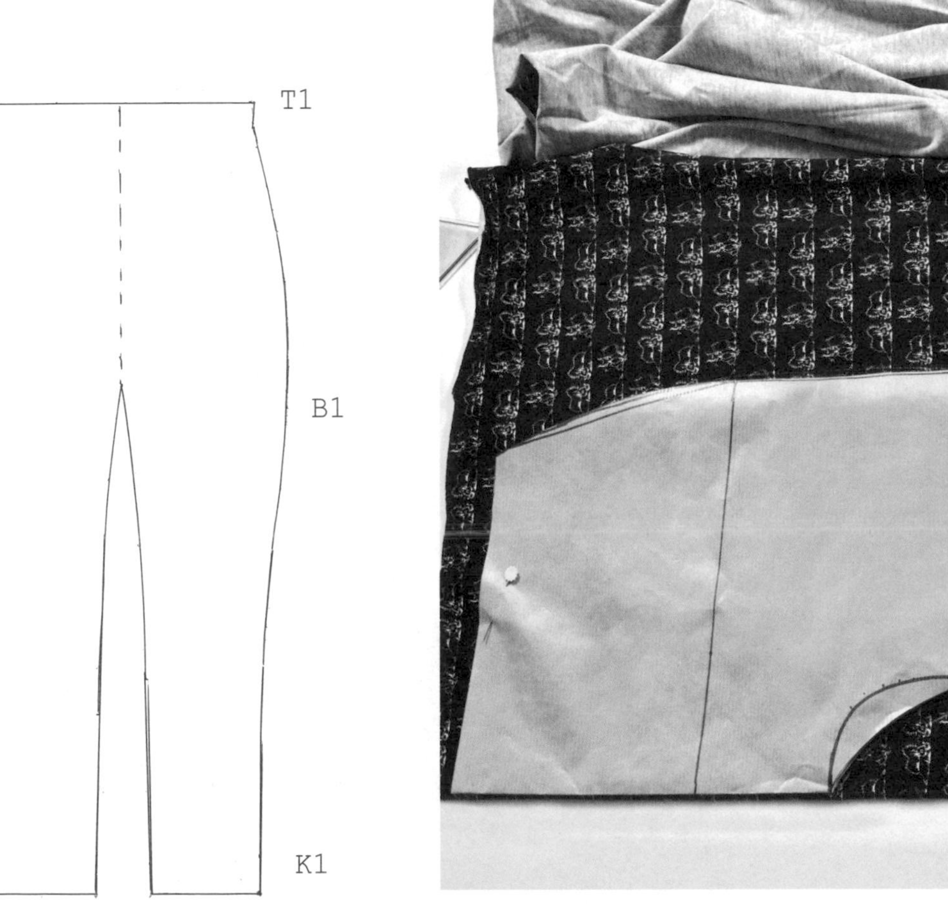

4. Kolejny krok to szycie. Ja szyję szwy zewnętrzne i wewnętrzne na overlocku, od razu łącząc dwie części, następnie wzmacniam szew na maszynie wielofunkcyjnej i getry są uszyte. Wy, nie mając overlocka, możecie go pominąć albo użyć zygzaka.

DO SZYCIA

5. Teraz musimy wykończyć górę i dół getrów.

6. Tutaj proponuję uszycie ściągaczy z tego samego materiału co getry. Ja je nazywam „mankietami”. Jak je zrobić?

7. Najpierw przygotowujemy mankiety. Wycinamy dwa prostokąty o wymiarach:

— szerokość = obwód dołu minus 3 cm,

— wysokość — tu zależy, jak grube chcecie mieć mankiety. Ja robię je zazwyczaj 5-centymetrowe, czyli prostokąt musi mieć 10 cm, aby po złożeniu otrzymać 5 cm.

8. Prostokąt wycinamy tak, aby do zszycia był tylko jeden bok, który będzie łączył się ze szwem nogawki po stronie wewnętrznej. Przyszpilamy mankiet do nogawki prawą stroną do prawej i przeszywamy. Ja na overlocku i wzmacniam zwykłym ściegiem, a Wy? To samo robimy z drugą nogawką i możemy przejść do paska.

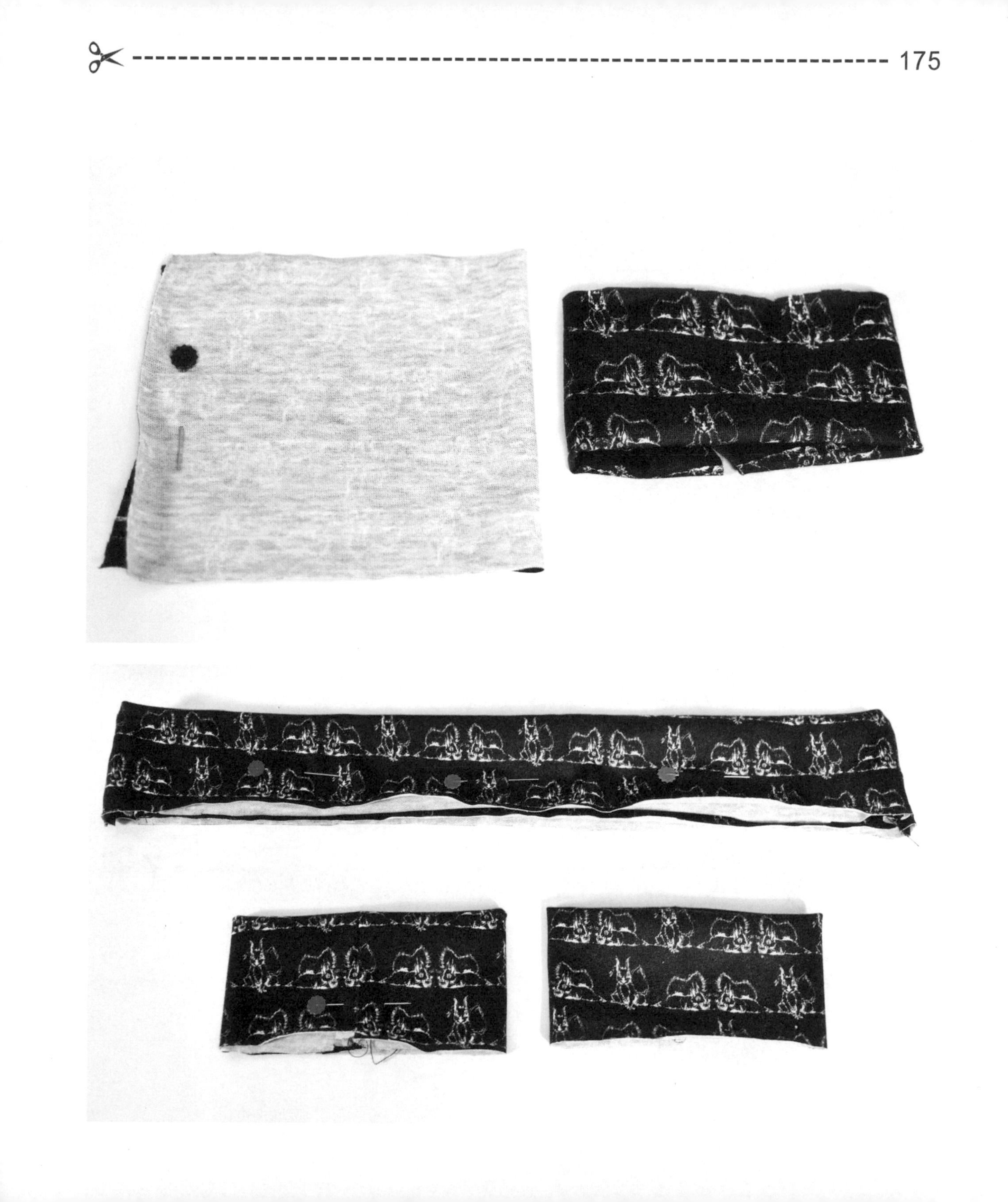

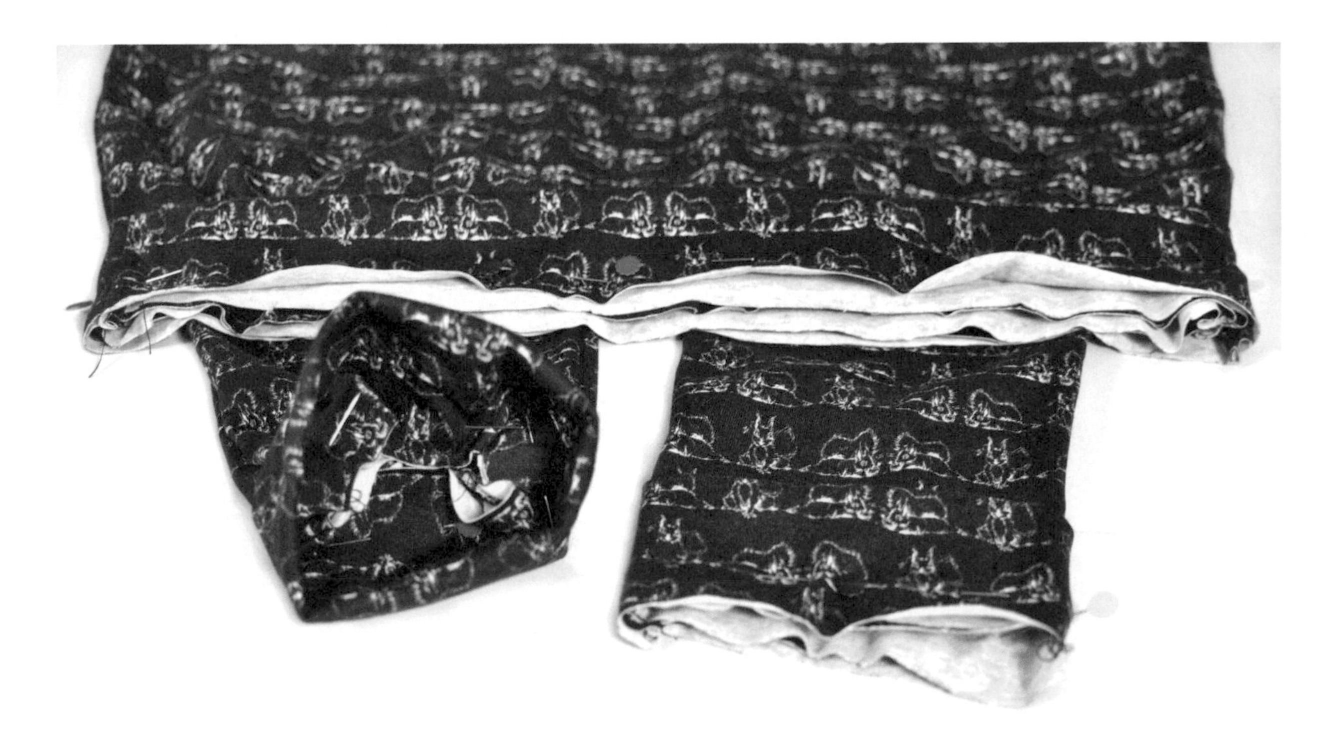

9. Z paskiem jest wiele możliwości, ale przy dzianinie proponuję zrobienie paska z tego samego materiału, czyli wycinamy prostokąt o wysokości 10 cm i szerokości — obt minus 5 cm.

10. Zszywamy pasek po krótszym brzegu. W jaki sposób? Zerknijcie na filmik na końcu książki.

11. Zszyty pasek przyszpilamy do getrów i przeszywamy tak samo jak mankiety przy nogawkach. Możecie dla pewności wciągnąć też gumkę, żeby getry lepiej się trzymały w pasie. I gotowe!

Tu narysuj swój projekt.

Spodnie

Szukaj podpowiedzi na płycie

Czas na coś bardziej skomplikowanego. Spodnie to jedna z trudniejszych rzeczy, jeśli chodzi o szycie dla początkujących, ale teraz już śmiało możecie sobie na nie pozwolić. Jak zrobić uproszczony wykrój na swoje wymiary? Zobaczcie sami.

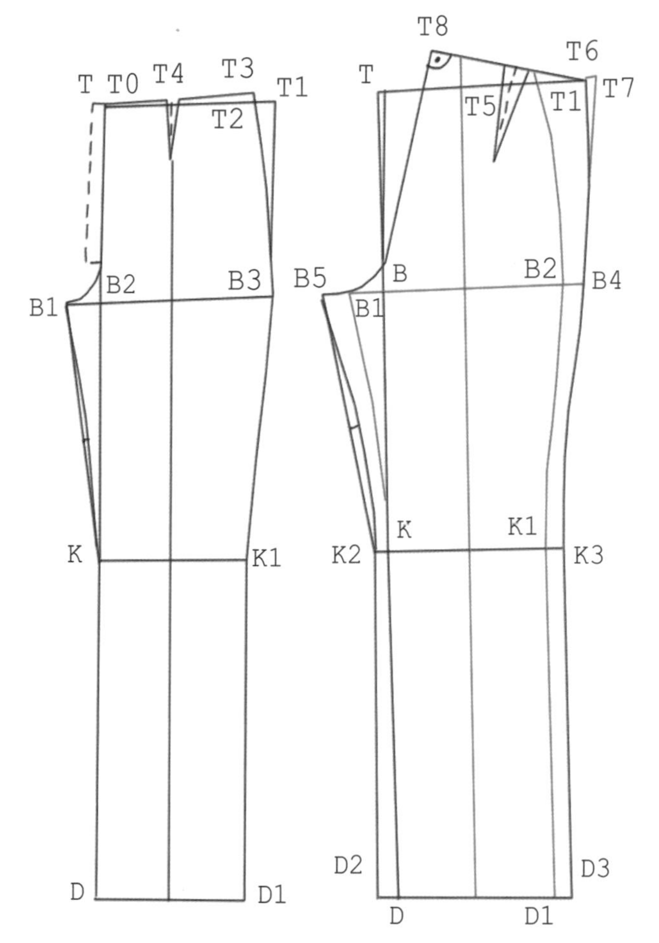

Krok I. Zdejmujemy miarę

Do zrobienia wykroju na spodnie będziecie potrzebować następujących wymiarów (sposób, jak je zmierzyć, znajdziecie powyżej w punkcie „Pomiary").

Krok II. Rysujemy przód spodni

1. Pierwszy odcinek, który musimy narysować, to linia TD, czyli długość całkowita spodni.

Nazwa odcinka:	Tu wpisz swoje wymiary:
Obwód talii	
Obwód bioder w najszerszym miejscu	
Podkrój krocza	
Długość całkowita	
Obwód uda	
Obwód łydek	
Obwód kostki lub dołu nogawki	

2. Następnie od punktu T zaznaczamy długość od talii do bioder, czyli 1/4 obwodu bioder, i kreślimy odcinek TB.

3. Kolejny odcinek BD dzielimy na pół, dodajemy 4 cm w dół i zaznaczamy linię kolana, czyli K.

4. Czas teraz zaznaczyć podkrój krocza. Bierzemy 1/20 obwodu bioder i zaznaczamy odcinek BB1. Wartość tę zaznaczamy na linii bioder od punktu B w bok, w lewą stronę i to samo do góry.

5. Kolejny odcinek, jaki możemy wyznaczyć, to szerokość spodni (BB2), czyli 1/4 obwodu bioder.

6. Teraz na linii talii w prawo od punktu T wybieramy 1 cm — punkt T0 — i łączymy go z punktem B2B1 robiąc podkrój krocza. Po wyprowadzeniu linii krocza od razu robimy pliskę na zamek, która powinna mieć szerokość 4 cm. Pliska zaczyna się w punkcie T, a kończy w punkcie B2.

7. Następnie odcinek B1B3 dzielimy na pół i zaznaczamy linię kantu, na której także robimy zaszewkę. Długość zaszewki to 8 — 9 cm, a szerokość — 2 cm (po 1 cm z każdej strony).

8. Przechodzimy teraz na linię DD1, na której zaznaczamy 1/2 obwodu kostki, na linii KK1 — 1/2 obwodu kolana.

9. Odcinek B1K i B2K1 łączymy linią prostą, następnie wybieramy 0,7 cm (do środka spodni) i zaokrąglamy linię. Punkt KD i K1D1 również łączymy linią prostą.

10. Nogawka od bioder w dół jest już gotowa. Teraz czas na talię.

11. Na linii T0T1 zaznaczamy 1/4 obwodu talii, pamiętając, że odjęty jest 1 cm na przodzie i 2 cm na zaszewkę, reszta nadmiaru musi być wybrana na linii boku, jeśli jest taka potrzeba. Wtedy nasza talia kończy się na punkcie T2.

12. Następnie podwyższamy talię o 1 cm na linii boku — punkt T3 — i łączymy linię z prawą krawędzią zaszewki T4.

I w taki właśnie sposób udało nam się narysować przód spodni na własne wymiary.

Pamiętajcie! Przy materiałach typu dzianina nie musimy zostawiać zapasów na szwy (albo maksymalnie 1 cm), natomiast przy twardych i nieelastycznych materiałach musimy zostawić od wewnętrznej strony 1 cm, a od zewnętrznej 2 – 3 cm.

Krok III. Rysujemy tył spodni

1. Tył zaczynamy rysować od przyłożenia przodu i zaznaczenia linii kolana, kostki, środka spodni, czyli kantu, oraz podkroju bioder (to są te same linie). Pamiętajcie, żeby zostawić miejsce na papierze u góry, bo tył spodni będzie miał talię wyżej.

2. W tyle musimy jednak dodać po 2 cm na dole i po obu stronach kolan, czyli łącznie 4 cm na każdej z linii, ale tylko na wysokości kolan i dołu. I wartości te koniecznie muszą być zaznaczane od linii kantu, 2 cm w prawo i 2 cm w lewo.

3. Następnie odcinek BB1 powielamy jeszcze raz w lewo, czyli wydłużamy podkrój krocza jeszcze raz (1/12 obwodu bioder) — BB5

4. Teraz odcinek TT5 dzielimy na pół, a przez środek musi przejść nasza linia krocza, którą prowadzimy od punktu B2 w górę.

5. Następnie sprawdzamy obwód bioder, dodajemy brakujące centymetry i łączymy linię boku z kolanem i dołem po linii prostej — B4K3 i K3D3.

6. Od punktu T0 mierzymy swoją talię, pamiętając, że zabraliśmy już 2 cm na zaszewkę, resztę musimy wybrać na linii boku. Tak powstanie punkt T6, który następnie łączymy pod kątem prostym z punktem T8.

7. Sprawdzamy zaszewkę (wybieramy tyle centymetrów, ile mamy za dużo, albo robimy zaszewkę 2 cm i reszta nadmiaru zostaje wybrana na linii boku). Długość zaszewki w tyle ma zawsze 13 – 14 cm.

8. Teraz możemy połączyć krok z kolanem tak samo jak w przodzie, czyli rysujemy linię prostą, wybieramy do środka 0,7 cm, zaokrąglamy i wyprowadzamy linię.

9. Musimy też skontrolować obwód łydki oraz uda i poszerzyć je, jeśli trzeba.

10. Na koniec sprawdzamy, czy zgadza się długość przodu i tyłu — i gotowe!

11. Teraz tylko należy przyłożyć formę do materiału, wyciąć przód oraz tył spodni i szyć!

12. Możecie też podpisać sobie nogawki, żeby wiedzieć, która to przód, a która tył. To tak na początku, bo z czasem zapamiętacie, że przód ma chociażby krótszą zaszewkę, ma pliskę, węższą nogawkę i mniejszy podkrój krocza w porównaniu z tyłem.

Użyty materiał – gabardyna
Ilość materiału – 2 metry
Nici – bawełniane
Igła – gruba

Krok IV. Szyjemy

1. Zanim jednak przejdziecie do szycia, musicie dobrze wykroić poszczególne elementy. Kładziemy naszą formę na materiał, przypinamy ją szpilkami i odrysowujemy wykrój, pamiętając, że musimy zostawić zapas na szwy. Wszystkie części są odrysowane? To można je wyciąć.

2. Teraz pierwszym krokiem, który musimy wykonać, jest połączenie przodu i tyłu nogawek. W tym celu kładziemy tył lewej nogawki prawą stroną do góry, na nią nakładamy przód nogawki prawą stroną do dołu, tak aby dwie prawe strony się ze sobą połączyły,

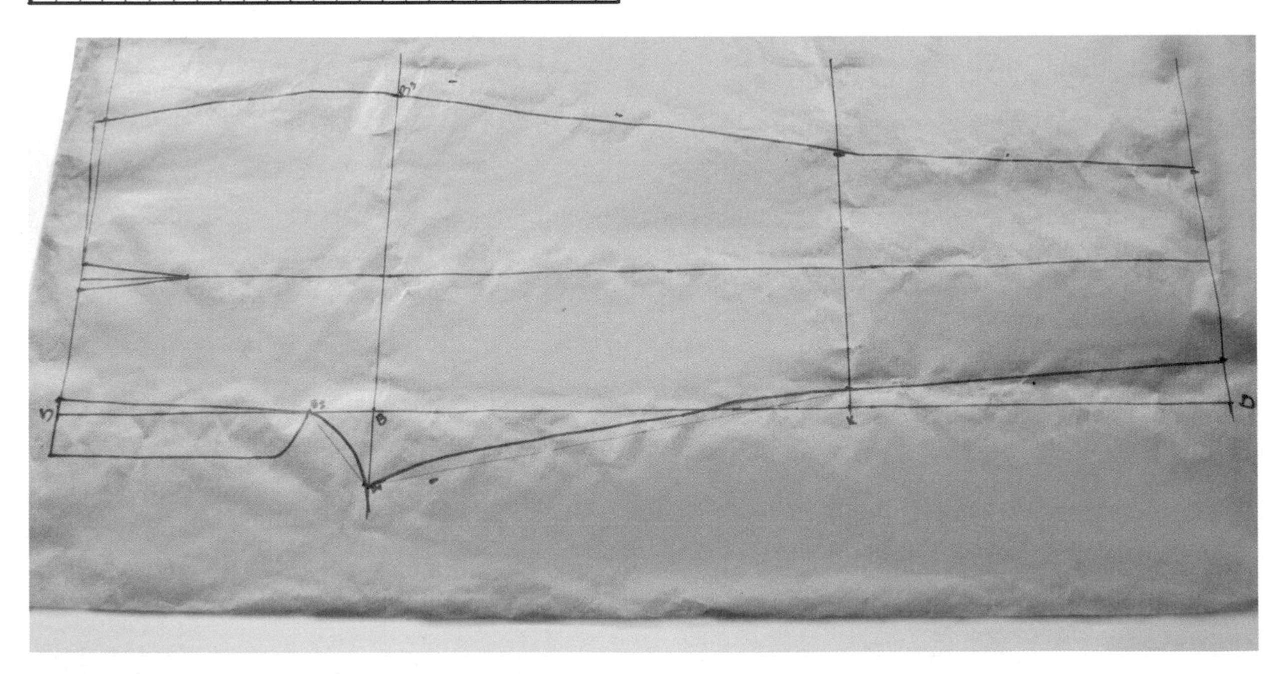

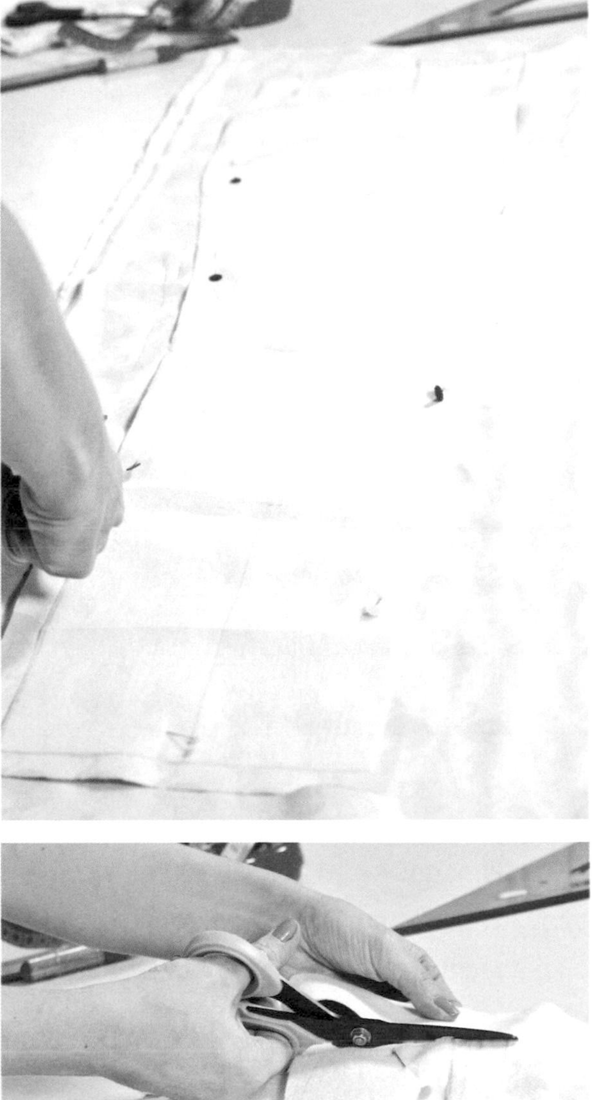

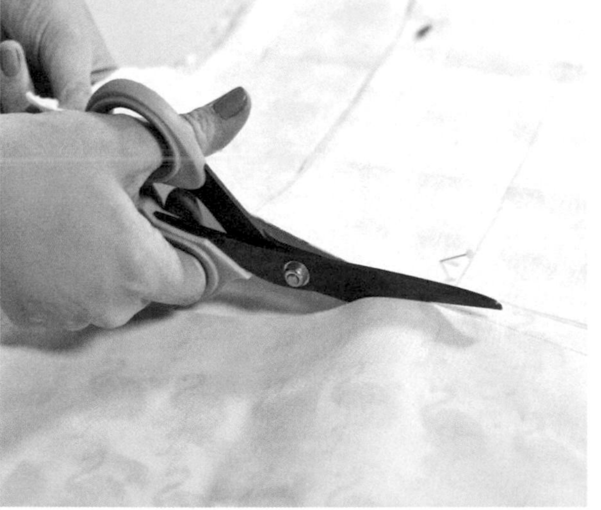

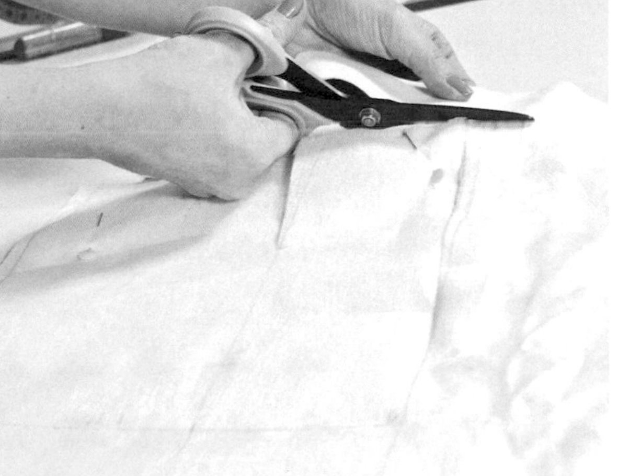

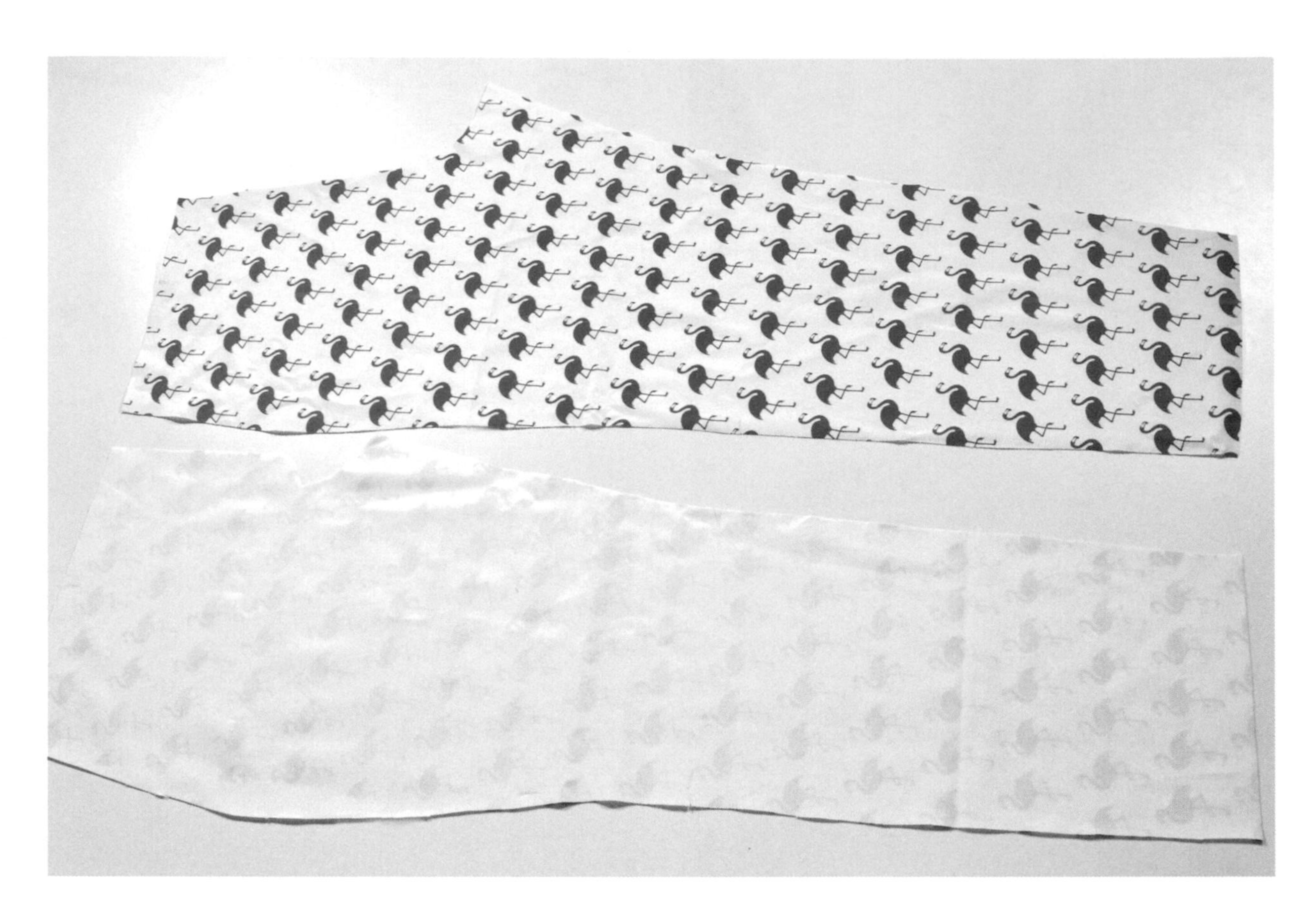

spinamy nogawkę po bokach — bok wewnętrzny i zewnętrzny. Należy przy tym pamiętać o kolanach! To bardzo ważny punkt! Szyjąc nogawki, musicie pilnować, aby punkty kolan się ze sobą zgadzały. Przesunięcie jednego z punktów sprawi, że nogawka będzie krzywa i będzie Wam uciekała. Spotykacie się czasami ze spodniami kupionymi w sklepie, w których szew przekręca się do przodu?
To właśnie jest efekt niedopilnowanych punktów kolan!

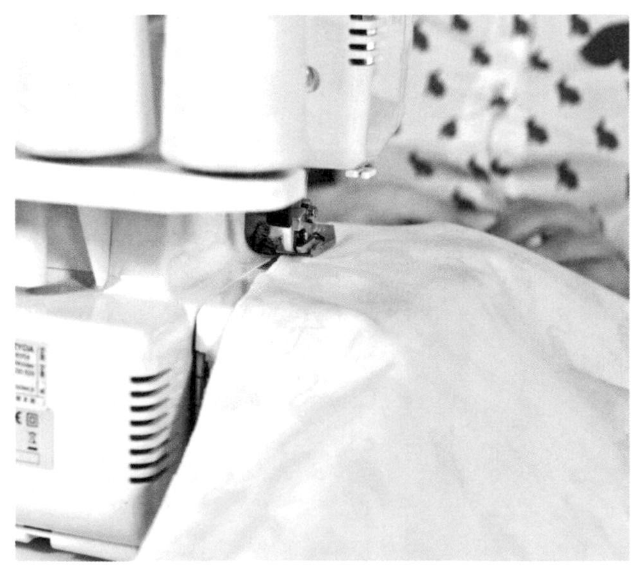

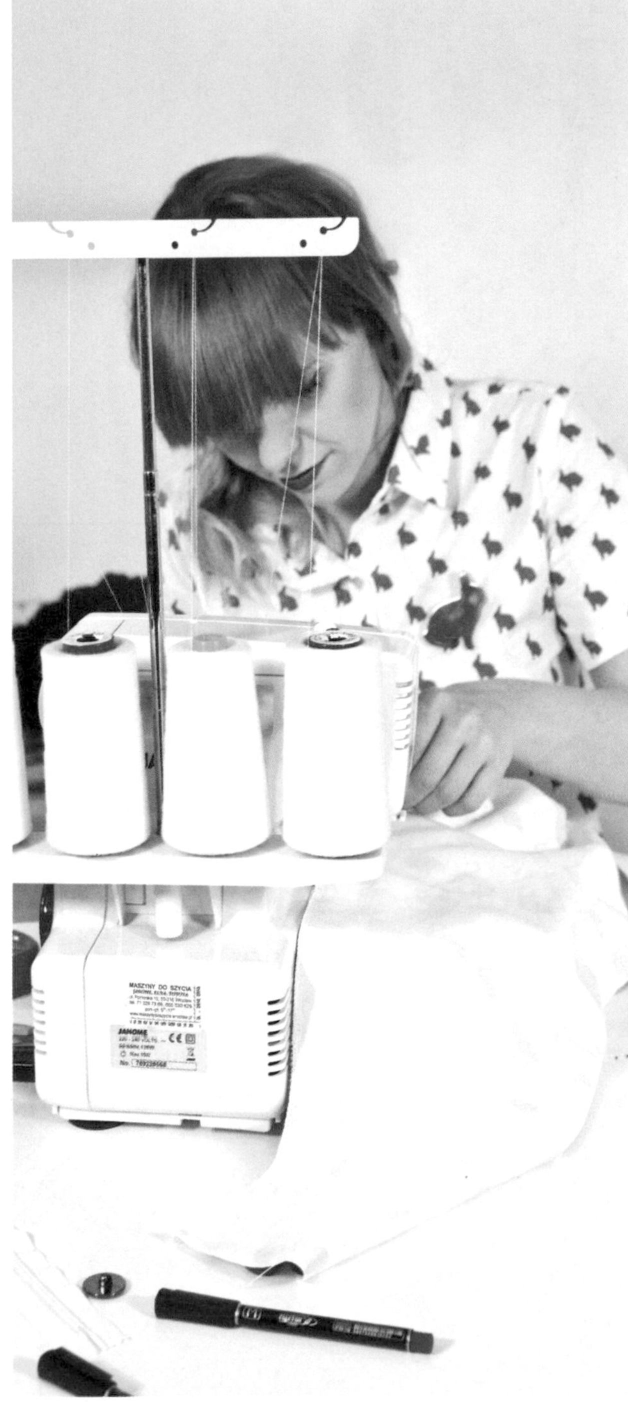

3. Druga ważna rzecz przy szyciu nogawek — szyjemy je ZAWSZE od dołu do góry, nigdy odwrotnie!

4. Kolejny bardzo ważny element, którego musicie dopilnować, to kant. Pamiętajcie, że kant to nitka prosta i nie może on być ułożony do krawędzi materiału pod skosem, bo wtedy wykrój będzie do wyrzucenia. Kant w każdym miejscu (zwłaszcza sprawdźcie biodra i łydki) ma znajdować się równolegle w takiej samej odległości od krawędzi. Wtedy macie pewność, że spodnie są dobrze wykrojone. Zszywamy.

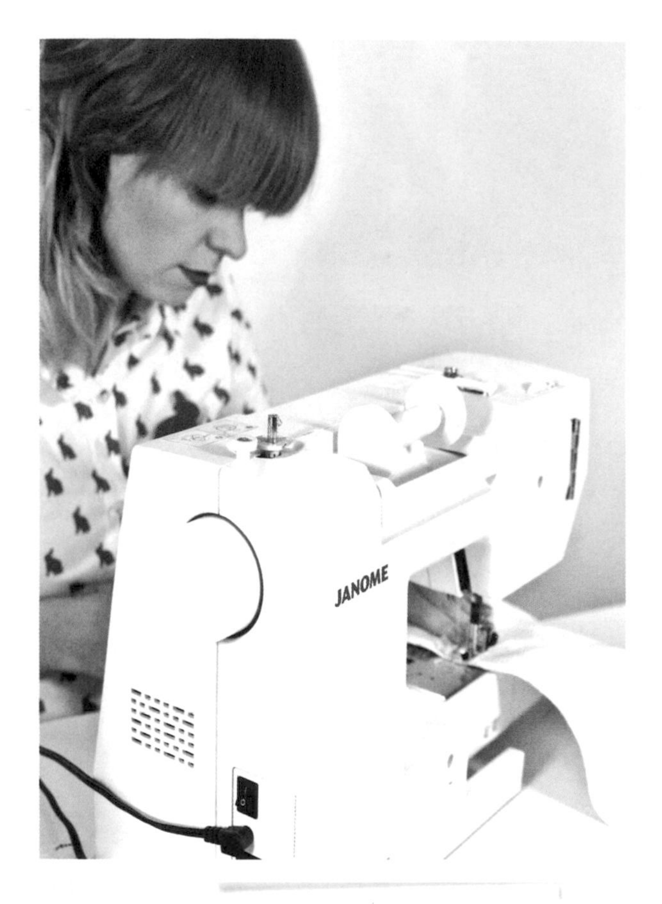

5. Teraz, gdy nogawki są już uszyte, możemy zszyć zaszewki w przodzie i w tyle zgodnie z wyliczeniami, a następnie połączyć spodnie na linii krocza. Zszywamy nogawki tak, aby zostawić miejsce na wszycie zamka. Zachęcam Was teraz do zerknięcia na koniec książki. Tam czeka płyta z filmem, na którym krok po kroku pokazane jest, jak to zrobić.

6. Spodnie zszyte, czas więc wszyć zamek. Zamek wsuwamy w przygotowany pod niego otwór, przypinamy szpilkami i stebnujemy po prawej stronie. Jeśli macie stopkę do wszywania zamka, to nie będzie z tym problemu. Jeśli nie macie i robicie to pierwszy raz, to na filmiku możecie zobaczyć, jaki myk zastosować, żeby nie było widać nierówności, jeśli się takie zdarzą.

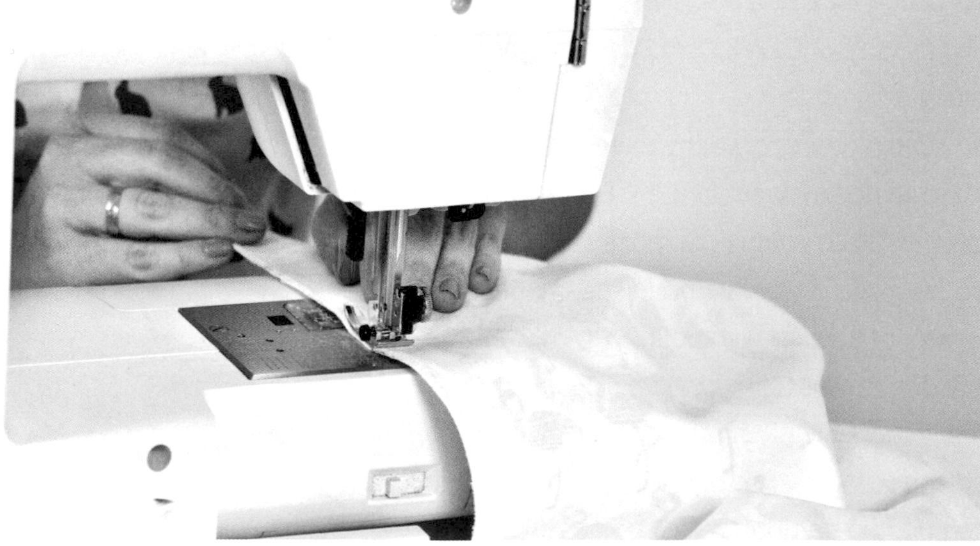

JANOME
JANOME

7. Spodnie są już prawie gotowe. Zostało nam wszycie paska i wykończenie dołu nogawek. Standardowo powinno się dół nogawek robić na końcu, ale ja zawsze robię to na tym etapie, aby mieć pewność, że do wykonania został mi już tylko pasek. Wiecie, taki spokój ducha, że tam na dole już wszystko skończone, he, he! Jeśli myślicie tak jak ja, to teraz obrzucamy dół nogawek, podwijamy i stebnujemy po prawej stronie. Gotowe. Teraz już naprawdę możemy przejść do paska.

8. Wycinamy teraz pasek. Jest to prostokąt o długości równej obwodowi talii plus 4 – 6 cm (jest to stała wartość) i dowolnej wysokości, ale zazwyczaj wynosi ona 10 cm. Po złożeniu powstaje 5-centymetrowy pasek. Pamiętajcie, aby te krótsze boki paska były zszyte.

9. Jedną szerszą krawędź paska przypinamy teraz do spodni i przeszywamy, tak aby brzegi na siebie nachodziły, bo tam jeszcze musi być miejsce na guzik i dziurkę.

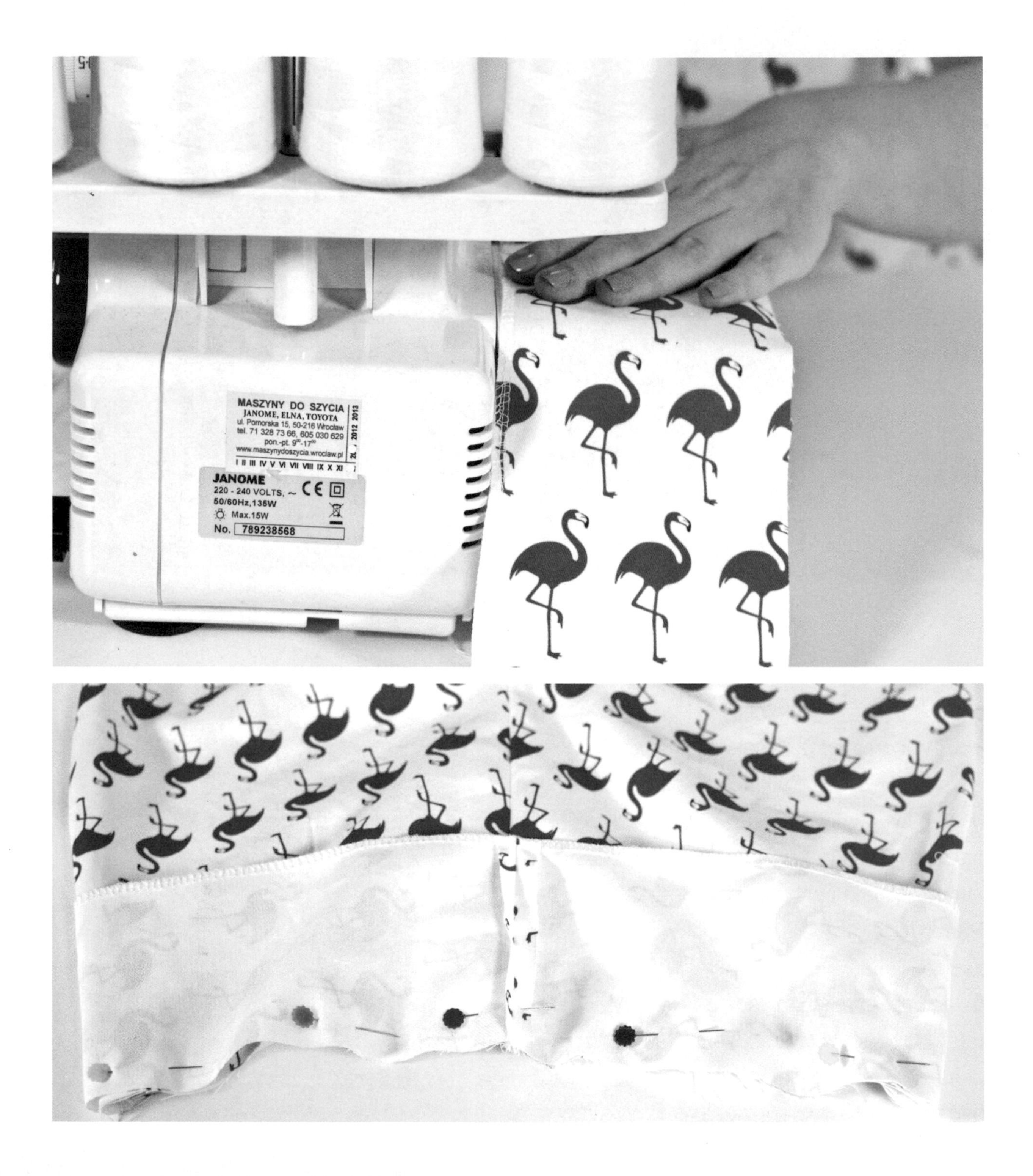
MASZYNY DO SZYCIA
JANOME, ELNA, TOYOTA
ul. Pomorska 15, 50-216 Wrocław
tel. 71 328 73 66, 605 030 629
www.maszynydoszycia.wroclaw.pl
I II III IV V VI VII VIII IX X XI
2012 2013
JANOME
220 - 240 VOLTS, ~
50/60Hz,135W
Max.15W
No. 789238568

JANOME

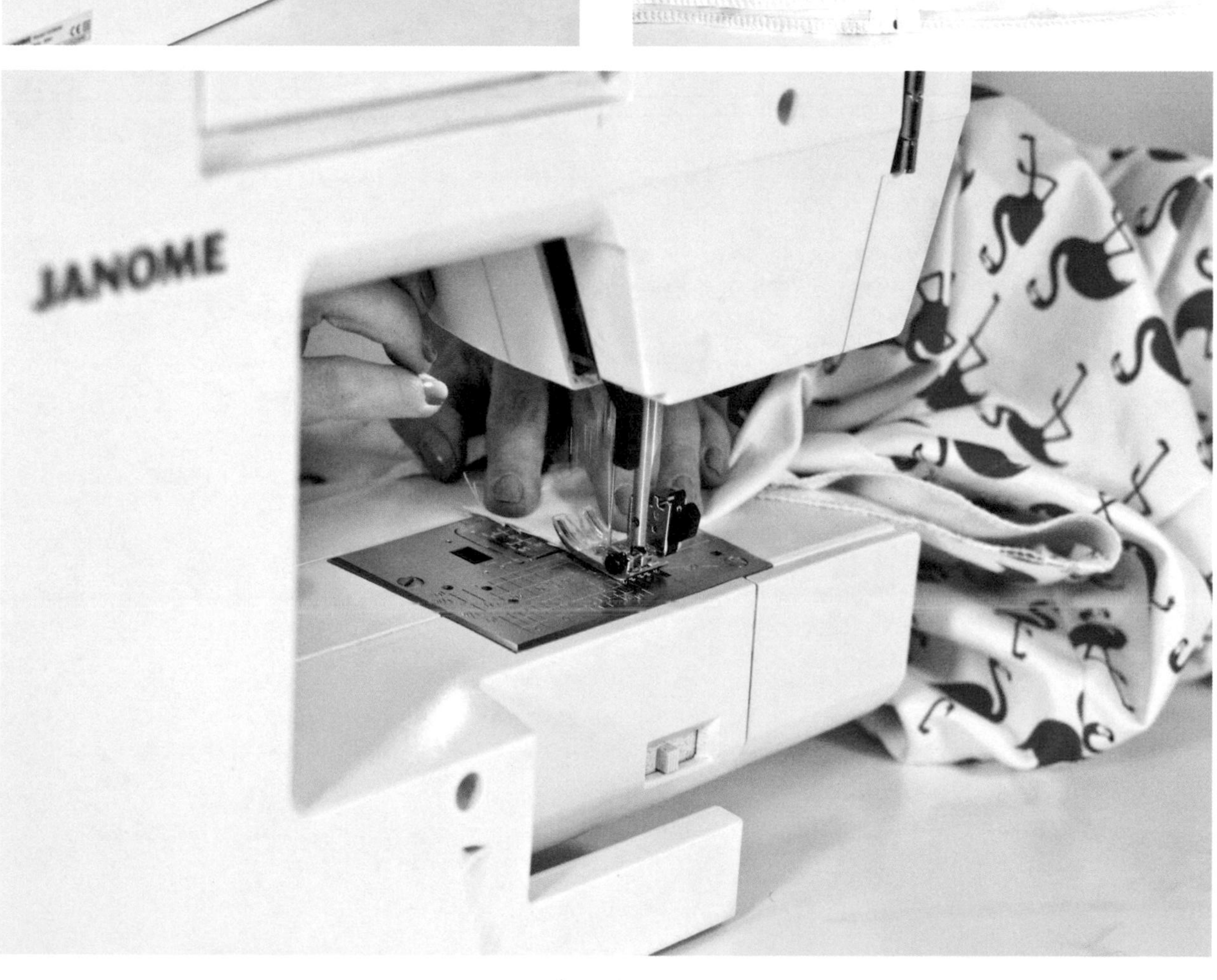
JANOME

10. Następnie zawijamy pasek do środka, chowamy wszystkie krawędzie do góry, podwijamy krawędź paska do wewnątrz i stebnujemy po prawej stronie. W ten sposób wszystko jest schowane i ładnie wykończone. Dla osób, które nie czują się od razu na siłach, aby wykonać tę czynność poprawnie, proponuję po prostu zagiąć pasek do środka oraz przeszyć (najlepiej na overlocku) jego drugą niewykończoną krawędź i przestebnować po prawej stronie po szwie. Wtedy mamy zamknięty pasek, ładnie wykończony brzeg, nic nam się nie strzępi i dobrze wygląda. Zerknijcie na filmik, tam lepiej widać, o co chodzi.

11. Ostatni element to oczywiście dziurka oraz przyszycie guzika — i spodnie gotowe! Nie było tak źle, prawda?

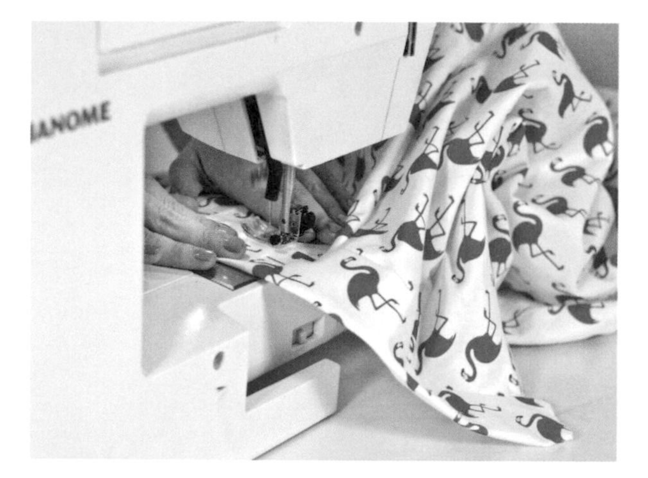
ANOME

Tu narysuj swój projekt.

Torba

Szukaj podpowiedzi na płycie

Teraz, gdy potraficie już uszyć bluzkę, sukienkę, a nawet spodnie, torba typu shopperka będzie dla Was dziecinnie prosta, ale jakże potrzebna. W końcu świeże bułeczki niesione do domu we własnej torbie cieszą najbardziej! Spis akcesoriów, które będą potrzebne do zrobienia wykroju, znajdziecie w punkcie „Pomiary".

Krok I. Rysujemy

1. Na szarym papierze rysujemy duży prostokąt o wymiarach 60 x 40 cm. Może mieć też inne wymiary w zależności od tego, jakiej wielkości chcecie mieć torbę. Będziecie potrzebowali dwóch takich prostokątów wyciętych z materiału, bo będzie to nasz przód i tył torby. Rysujemy na materiale prostokąt i wycinamy go.

2. Potrzebne nam będą również boki torby. Rysujemy więc kolejny prostokąt o tej samej długości co przód i tył torby (czyli 60 cm) oraz o szerokości np. 10 cm. Wszystko zależy od tego, jak dużą chcecie mieć torbę. Ten prostokąt również będziecie musieli wyciąć z materiału dwa razy.

3. Kolejny prostokąt będzie dnem torby. Jego szerokość musi odpowiadać szerokości przodu, czyli 40 cm, a wysokość — głębokości boku, czyli 10 cm. Tutaj będziemy wycinać z materiału tylko jeden prostokąt.

4. Kolejne prostokąty, jakie musimy narysować, to rączki. I tutaj też wszystko zależy od tego, jak długie rączki chcecie mieć w torbie. Ja założyłam, że moja torba będzie miała

60-centymetrowe rączki o szerokości 7 cm. Rysujemy i wycinamy. Na rączki będą potrzebne 4 prostokąty — dwa podwójne lub dwa pojedyncze.

5. Po narysowaniu kilku prostokątów mamy gotowy wykrój na torbę, czas więc wykroić je z materiału.

Krok II. Szyjemy

1. Kładziemy nasze prostokąty na tkaninę w taki sposób, aby jeden był obok drugiego, żeby nie marnować materiału, ale pamiętajcie o zostawieniu po 1 cm na szwy.

2. Przypinamy formę szpilkami do tkaniny, żeby nam się nie przesunęła podczas wycinania.

BOK

3. Po wycięciu prostokątów powinniście mieć:
— dwa prostokąty o wymiarach 60 x 40 cm na przód i tył
— dwa prostokąty o wymiarach 60 x 10 cm na boki
— jeden prostokąt o wymiarach 40 x 10 cm na dno
— cztery prostokąty o wymiarach 60 x 7 cm na rączki (jeśli chcecie mieć je podwójne) lub dwa prostokąty (jeśli macie grubą tkaninę i nie chcecie rączek odszywać podwójnie).

4. Teraz, gdy wszystkie części torby macie już wycięte z materiału, możemy przejść do szycia.

5. Kładziemy tył torby prawą stroną tkaniny do góry, a na to po obu stronach nakładamy boki i spinamy szpilkami.

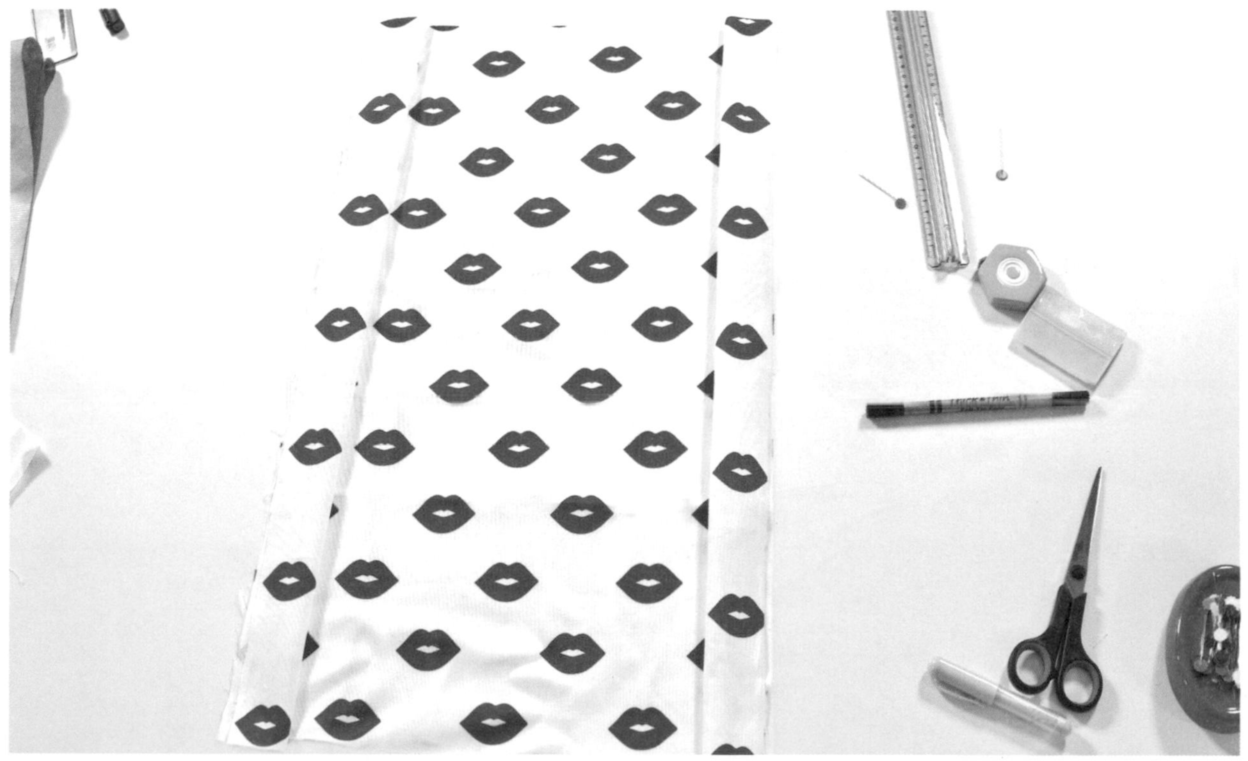

6. Następnie nakładamy przód i też przypinamy go szpilkami, zamykając całość.
7. Kolejny etap to przypięcie dołu i przeszycie wszystkich szwów.

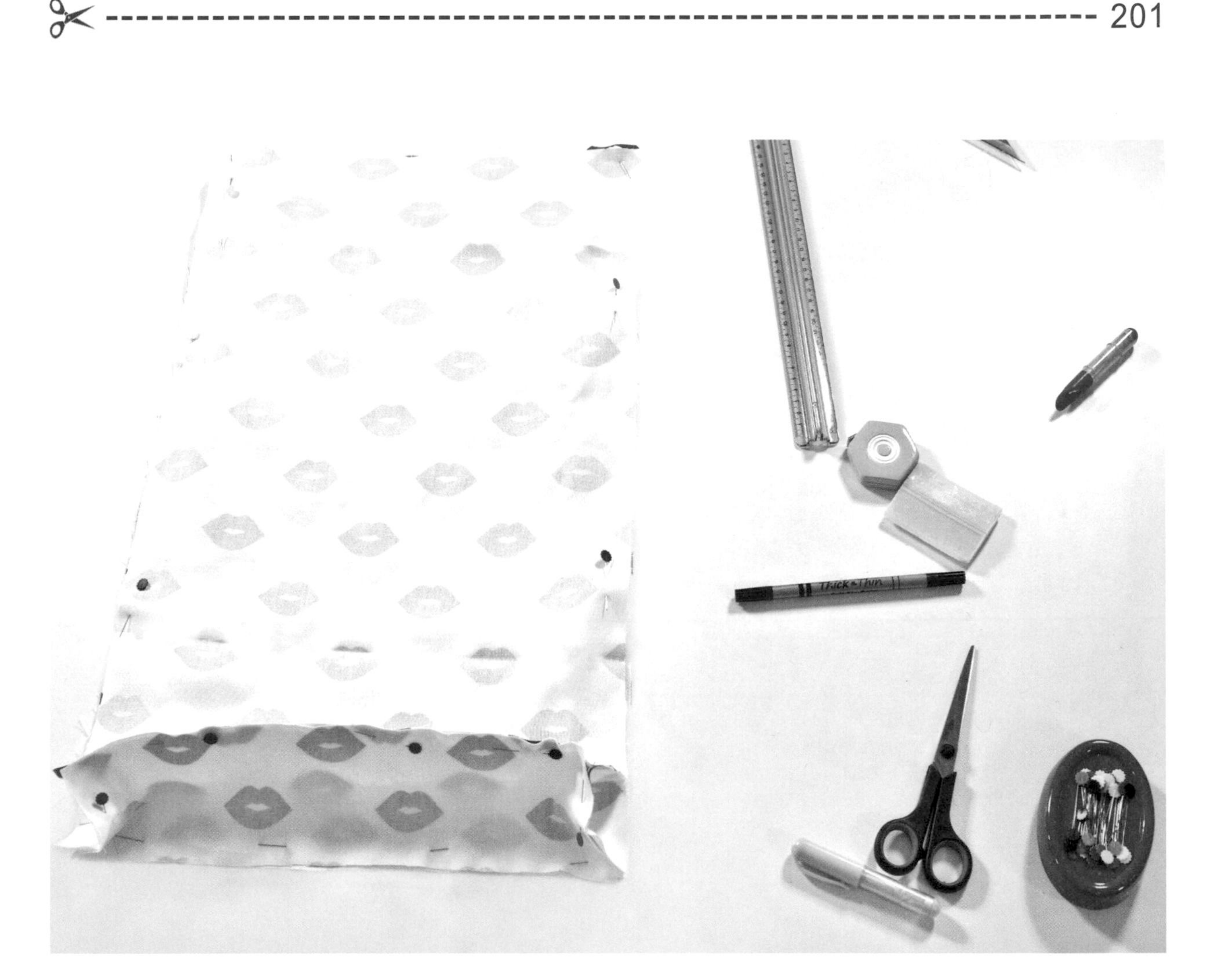

8. Ja najpierw obrzucam szwy na overlocku, jednocześnie je łącząc, następnie wzmacniam szwy na maszynie wielofunkcyjnej. Wy (jeśli nie macie overlocka) możecie to zrobić zygzakiem albo tylko zwykłym ściegiem prostym.

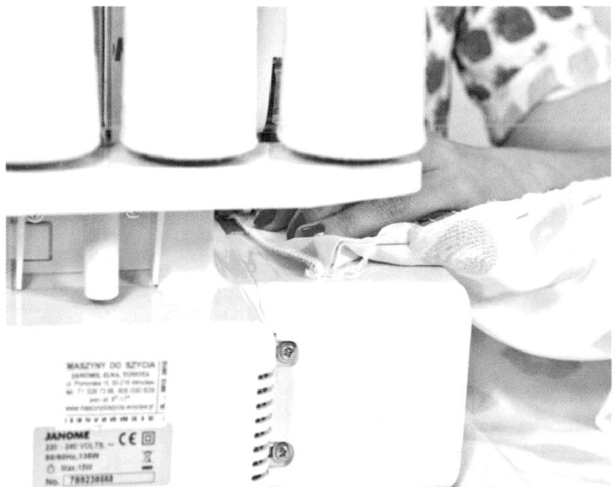

9. Podstawa torby jest już gotowa, ale zanim zabierzemy się do rączek, musimy jeszcze wykończyć górę. Zawijamy górę torby dwa razy, przeszywamy po prawej stronie tkaniny zwykłym ściegiem — i gotowe.

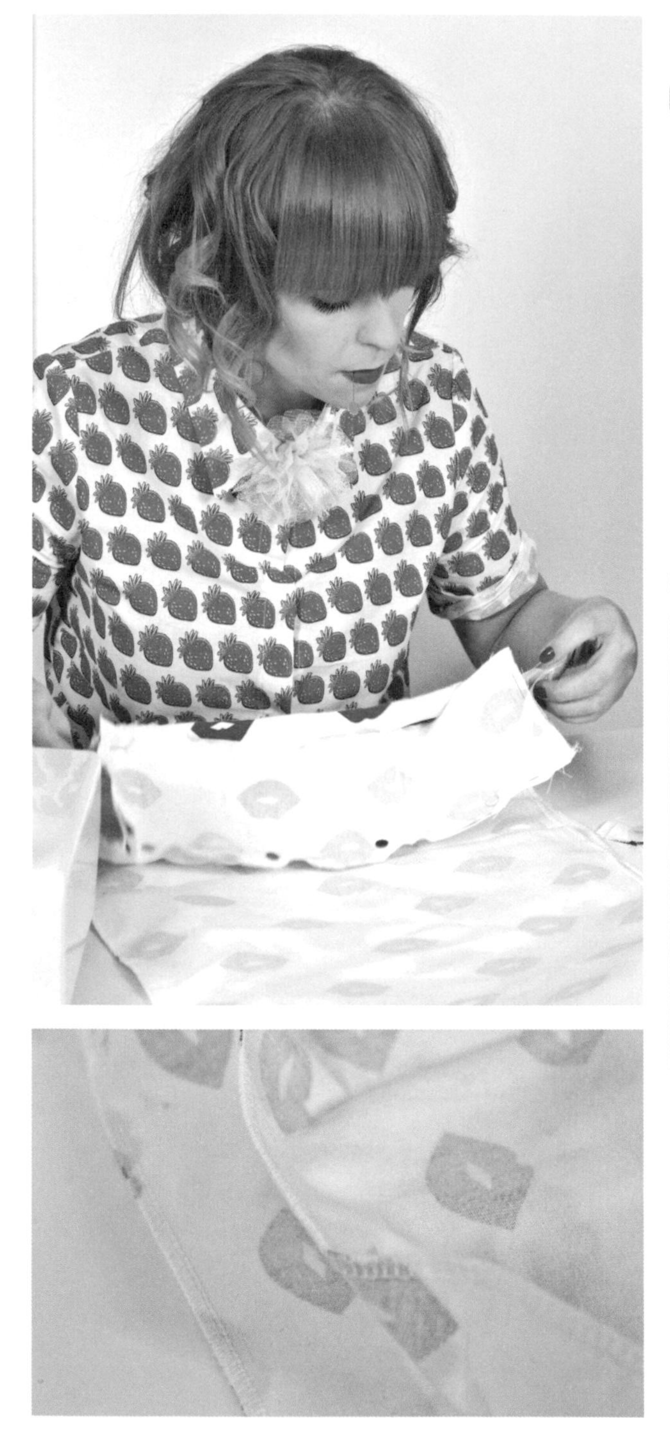

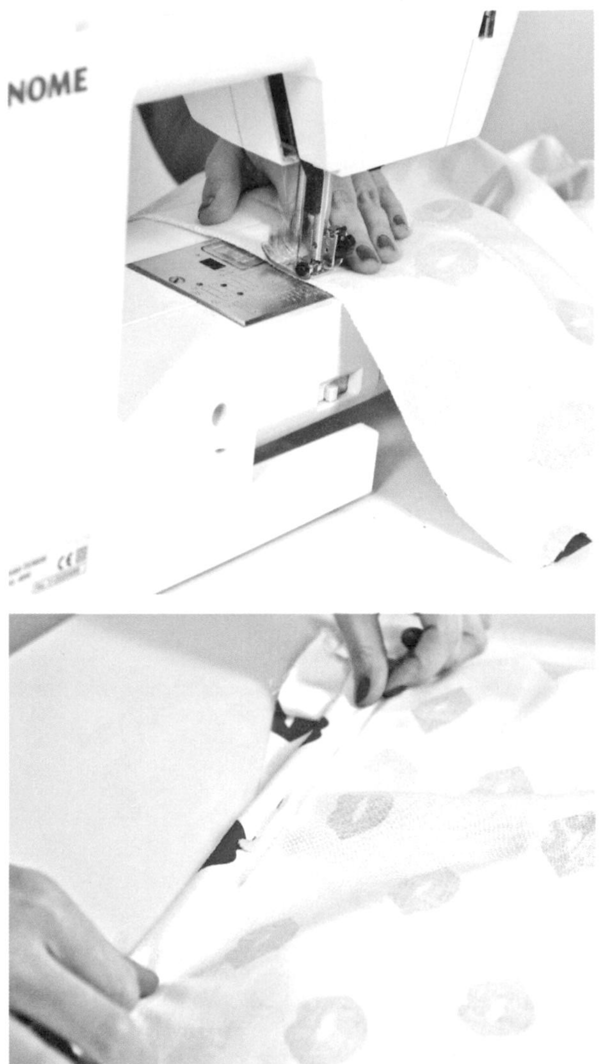

10. Zostały nam rączki. Jeśli zdecydowaliście się na rączki podwójne, musicie teraz zszyć ze sobą dwa prostokąty, najpierw na krótszych bokach, a następnie po wierzchu, zawijając do środka dłuższe boki. Jeśli natomiast chcecie pojedyncze rączki, zawijacie brzegi rączek i stebnujecie po prawej stronie.

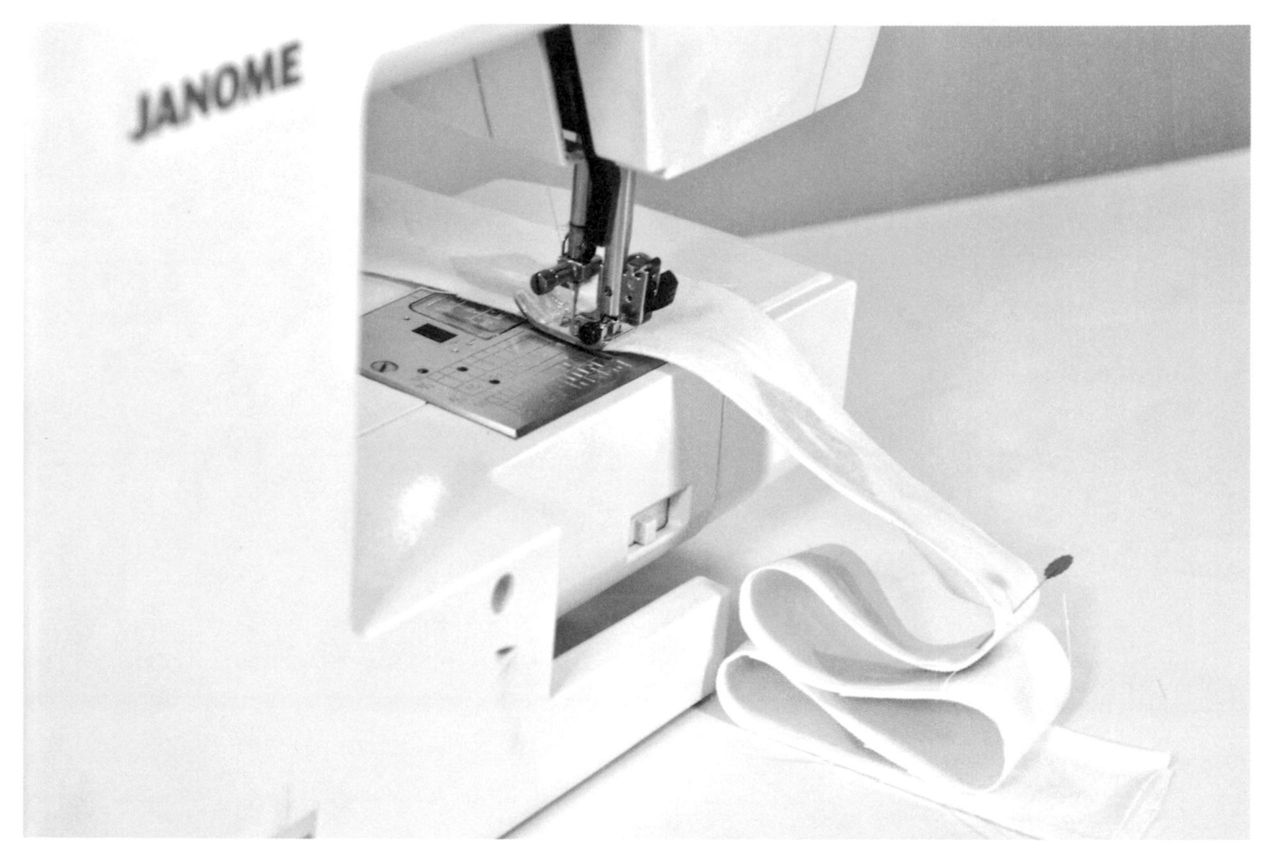

11. Rączki są już gotowe, czas więc je przymocować do torby.

12. Zaznaczamy środek torby i odmierzamy od środka 14 cm, po 7 cm z każdej ze stron. Zaznaczamy mydełkiem punkciki i właśnie w tym miejscu musimy zamocować rączki.

13. Rączki stebnujemy po kwadracie, najlepiej do samej góry torby, żeby lepiej trzymały torbę.

14. I gotowe. Możemy teraz iść z torbą na zakupy. Prawda, że proste?

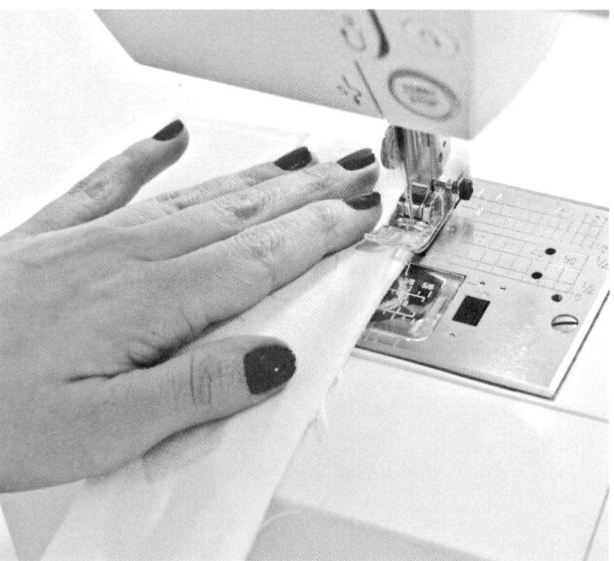

JANOME

Kochani, to by było tyle, jeśli chodzi o szycie i moją pierwszą książkę. Oczywiście to jeszcze nie koniec przydatnych informacji i porad, dlatego zachęcam Was do przeczytania dalszych rozdziałów. Mam nadzieję, że moje porady i propozycje na wykroje Wam się przydadzą i teraz szycie będzie jeszcze prostsze. Koniecznie pochwalcie się tym, co sami uszyjecie.

Pamiętajcie też, że szycie to przede wszystkim zabawa, radość czy spędzanie wolnego czasu.

Nikt Wam nie powie, że coś nie wyszło, że jest krzywo lub to nie tak miało być. Zawsze ma być tak, jak wyjdzie, bo to jest Wasza wizja! Nie zniechęcajcie się, bo na błędach się człowiek uczy, a przecież uczy się całe życie. Nawet jeśli za pierwszym, drugim czy trzecim razem coś nie wyjdzie tak, jak chcieliście, to pamiętajcie o tym, że nikt inny nie będzie miał takiej samej rzeczy jak Wy (no, chyba że od Was). I to jest w tym wszystkim najpiękniejsze!

Tu narysuj swój projekt.

Rozdział 7.
Inspiracje

Teraz, kiedy umiecie już szyć, dobrać odpowiednie tkaniny i znacie podstawowe pojęcia, czas poszukać inspiracji. Przyznam szczerze, że to chyba najtrudniejszy temat, z jakim przychodzi mi się zmierzyć. Często pytacie mnie, skąd czerpię pomysły, gdzie szukam inspiracji. Właściwie nie ma jednoznacznej odpowiedzi, bo inspiracje są wszędzie, ale zrobiłam mały spis, który może się Wam przydać.

Kawiarenki szyciowe

Zdecydowanie dominującym trendem ostatnich czasów jest *hand made*. Moda na szycie w Polsce rozwija się bardzo intensywnie na przykład dzięki programom typu *project runway*. Coraz więcej osób zaczyna przerabiać, szyć, tworzyć dekoracje do domu. Nie każdy jednak ma pod ręką maszynę do szycia i nie każdy chce od razu w nią inwestować.

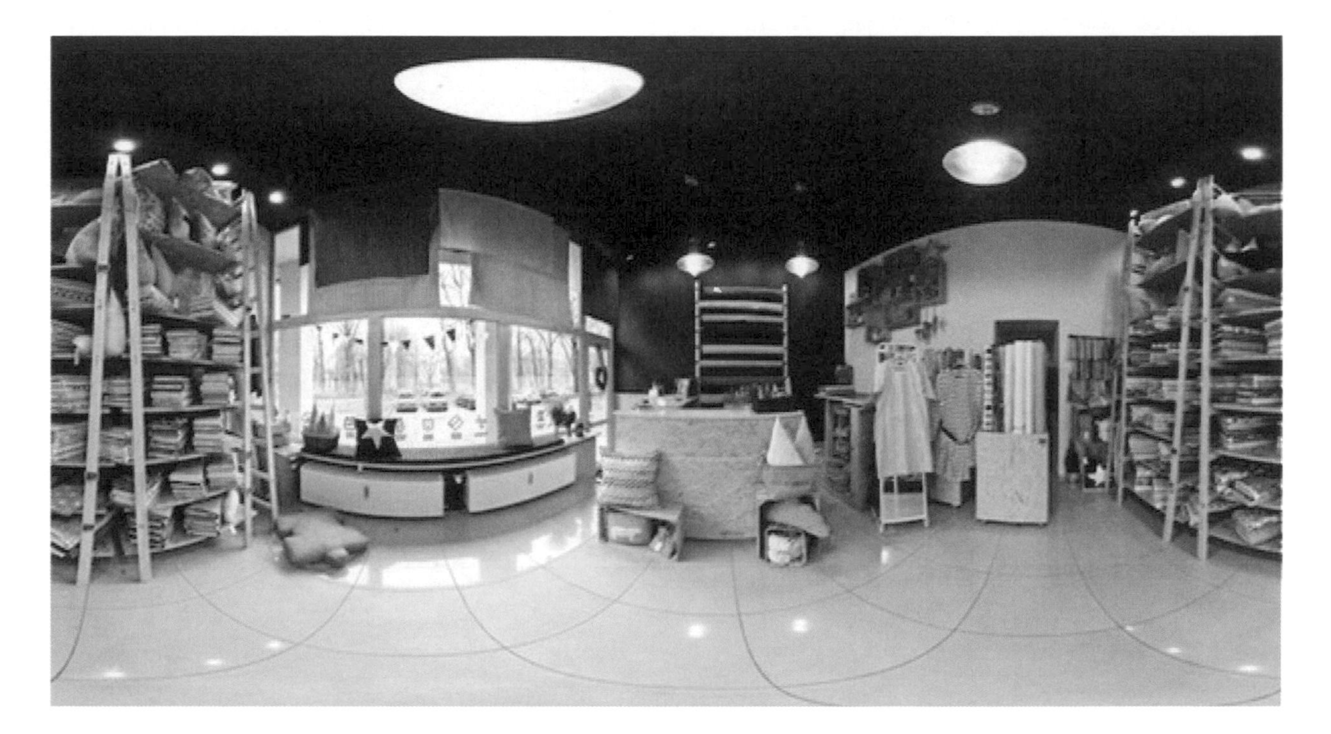

Właśnie dla takich osób powstają miejsca pełne pasji do szycia. Połączenie mody, szycia i kawy! Czy to możliwe? TAK, a to za sprawą kawiarenek szyciowych. Gdzie je można znaleźć?

Kawiarenki szyciowe to nie tylko miejsce do szycia, ale też normalna kawiarnia, gdzie można napić się kawy, herbaty czy gorącej czekolady. Dla tych z Was, którzy nigdy nie szyli i nie wiedzą, jak obsługiwać maszynę do szycia, organizowane są również kursy szycia, podczas których można się nauczyć szyć pokrowce na pościel, poduszki czy ubrania. To zdecydowanie dobra droga, którą polecam początkującym.

Pierwsza kawiarenka szyciowa w Polsce powstała ponad trzy lata temu. Od tego czasu wiele się zmieniło, jeśli chodzi o tego typu miejsca. I tak w Poznaniu znajdziecie sklep z tkaninami Fabryq.pl, który cyklicznie organizuje kursy szycia nie tylko dla dorosłych, ale i dla dzieci. Nie ma nic fajniejszego, jak wybrać się ze swoją pociechą na aktywny i inspirujący weekend. Mamusie szyją dla siebie, a dzieci dla swoich lalek. To świetna alternatywa również dla studentów. Szybka, prosta i na każdą kieszeń pomoc zawsze jest w modzie.

Kreatywnych miejsc z dobrymi pomysłami nigdy za mało, i tak na przykład we Wrocławiu znajdziecie dwie kawiarenki szyciowe o wdzięcznych nazwach — **Róża Rozpruwacz** i **Szpilka**.

Róża Rozpruwacz to miejsce, w którym każdy może nauczyć się szyć, skorzystać z rad profesjonalistów i napić się dobrej kawy. Kawiarenka Róża to także przestrzeń, w której można zorganizować ciekawe modowe spotkania, warsztaty (nie tylko szyciowe) lub zamknięte imprezy okolicznościowe.
Ja sama miałam tam zorganizowany *baby shower* i muszę przyznać, że nigdy tego nie zapomnę. Kocyk, który podczas spotkania uszyły mi moje przyjaciółki, mam do tej pory i nie dość, że stanowi on dla mnie bardzo sentymentalne wspomnienie, to jeszcze wyszedł świetnie. Jeśli mieszkacie we Wrocławiu lub tam będziecie, koniecznie musicie odwiedzić kawiarnię Róża Rozpruwacz i jej przestrzeń (*http://www.rozarozpruwacz.pl/*).

Szpilka jest stosunkowo nowym miejscem na mapie Wrocławia. W swoim menu ma nie tylko pyszne jedzenie (polecam zupy kremy i sałatki), ale i sporą przestrzeń do szycia.

W **Szpilce** organizowane są nie tylko warsztaty szyciowe, spotkania blogerów szyciowych, konkursy, ale i imprezy okolicznościowe. Wszystko pod hasłem szycia, mody i designu. Miejsce do szycia jest bardzo dobrze wyposażone, przemyślane i funkcjonalne. W „Szpilce" nie ma miejsca na przypadki. Kursy szycia w grupach odbywają się tam prawie codziennie, co pokazuje, że osób chcących szyć jest coraz więcej. A to mnie bardzo cieszy. Filmy, które przygotowałam dla Was do tej książki, były nagrywane właśnie we wnętrzach „Szpilki". A atelier znajdziecie tu: *https://www.facebook.com/atelierszpilki?fref=ts.*

Kolejna kawiarenka szyciowa, którą udało nam się znaleźć, to **Akademia Szycia** w Szczecinie. Miejsce to powstało z potrzeby wspól nego szycia, z pasji do maszyny i nitki z igłą. Akademia, podobnie jak wymienione poprzedniczki, to również sklep z tkaninami, akcesoriami i maszynami do szycia Janome. Bez względu na poziom zaawansowania każdy znajdzie coś dla siebie, dlatego warto zajrzeć na ich stronę: *http://akademiaszycia.pl/.*

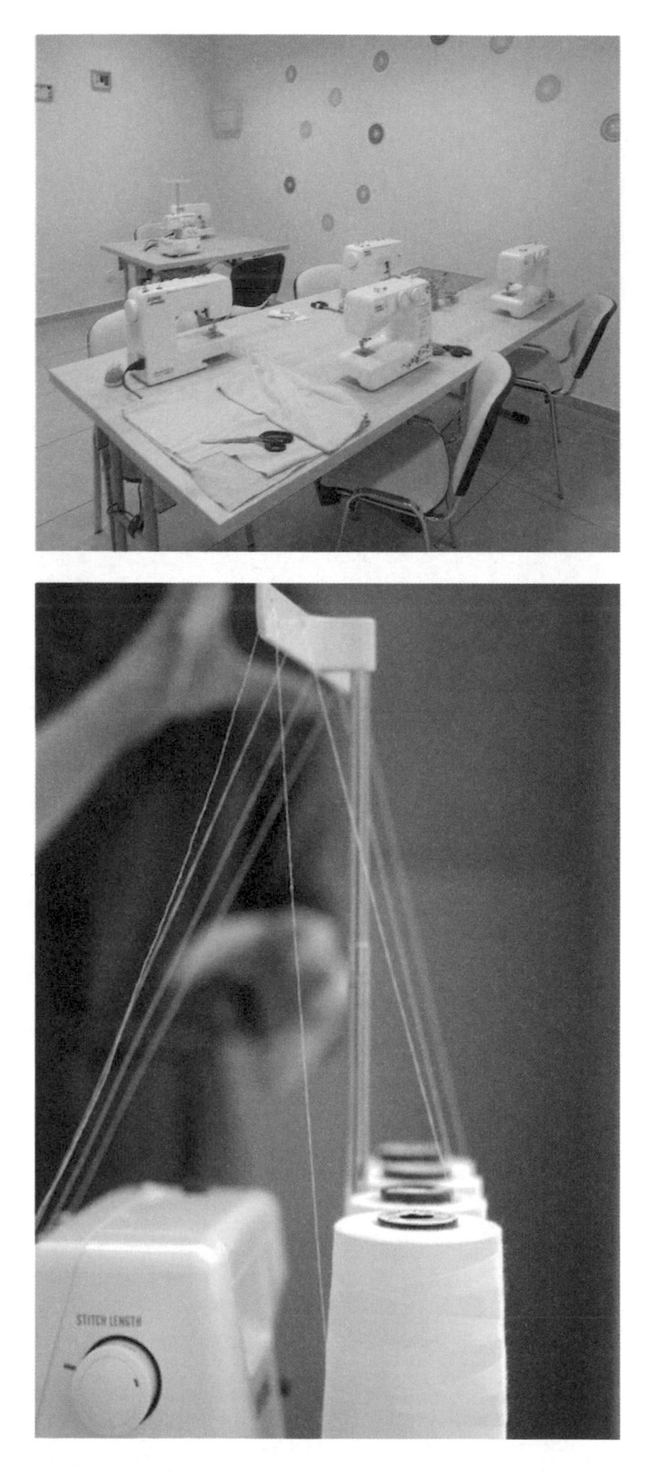

Ostatnie takie miejsce, które skradło moje serce, znajduje się w Krakowie. Mam do tego miasta sentyment, bo to właśnie tam zaczynałam studia i swoje „dorosłe" życie. Chodzi oczywiście o kawiarenkę **Slow Fashion Cafe**, która jest doskonale wyposażoną pracownią krawiecką, szkołą szycia, butikiem i kawiarnią w jednym. Właściciele tak o niej piszą: *Serwujemy tu kawę, częstujemy ciasteczkami i gwarantujemy wymierne efekty nauki w postaci samodzielnie uszytych, niepowtarzalnych kreacji*. Działania „Slow Fashion Cafe" wpisują się w nurt Slow Life, który stawia sobie za główne zadanie powrót do indywidualizmu, racjonalnego konsumpcjonizmu oraz ekologicznej, ręcznej produkcji. Rzeczy szyte na warsztatach mają niepowtarzalny charakter, a radość z ich tworzenia świadczy o potrzebie powrotu do aktywności dającej satysfakcję z pracy własnych rąk". Nic więcej do szczęścia nie trzeba. Slow Fashion Cafe znajdziecie tu: *https://www.facebook.com/SlowFashionCafe.*

Kawiarenki szyciowe to zdecydowanie najmodniejsze miejsca ostatnich miesięcy. Na szczęście powstaje ich coraz więcej. Szukamy kreatywnych rozwiązań, chcemy spędzać swój wolny czas aktywnie, a dzięki

pasji możemy łączyć przyjemne z pożytecznym! **Dlatego zachęcam Was do odwiedzania tego typu miejsc, bo znajdziecie tam nie tylko świetną atmosferę i dobre jedzenie, ale przede wszystkim masę inspiracji oraz ludzi, którzy chętnie podzielą się z Wami swoim doświadczeniem.**

Kursy i warsztaty

O kursach organizowanych przez kawiarenki szyciowe już Wam pisałam. Wystarczy śledzić na bieżąco informacje na temat tych miejsc, a nie ominie Was żaden kurs. Jeśli jednak nie macie w swoim mieście takiej kawiarenki, możecie skorzystać z kursów organizowa-

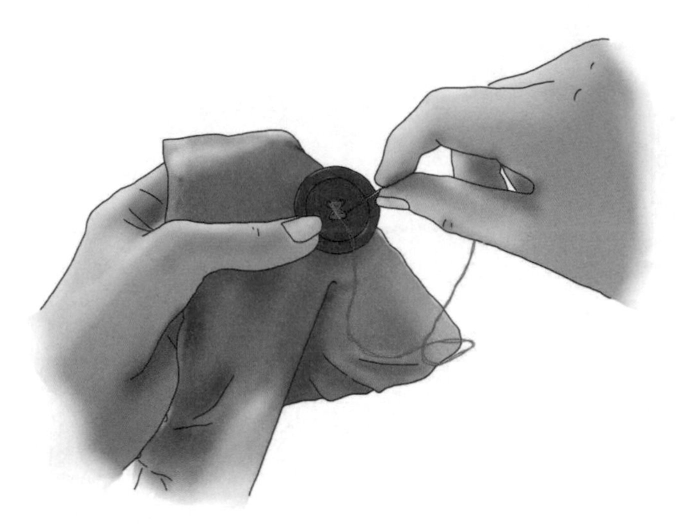

nych przez regionalne ośrodki kultury czy szkoły policealne. Coraz częściej wśród ofert takich szkół pojawiają się kierunki artystyczne i można w nich znaleźć również szycie. Ja sama skorzystałam z nauki właśnie w takiej szkole, dzięki której po dwóch latach udało mi się zdać egzamin zawodowy na technika technologii odzieży, a zazwyczaj taki egzamin zdaje się po technikum odzieżowym. Nie musicie więc wybierać od razu studiów (ja na przykład byłam już na takim etapie, że nie mogłam sobie pozwolić na kolejne 5 lat studiowania, więc taka szkoła była dla mnie idealna. Niestety już nie istnieje, ale wiem, że coraz więcej takich inicjatyw ma miejsce). Kursy szyciowe bardzo często organizowane są również z okazji charytatywnych wydarzeń lub targów modowych, których również jest coraz więcej w naszych kręgach. O tym jednak za chwilę. Jeśli chodzi stricte o kursy, to w internecie znajdziecie na przykład te organizowane przez *http://www.splotartystyczny.pl*, gowork.pl lub też przez intensywnie kreatywne *akademiamody.com* czy *www.lodzkiewzornictwo.pl.*

Szkoły

Pytanie o szkoły pada z Waszej strony chyba najczęściej, dlatego postanowiłam zrobić przegląd ofert na rynku. Oczywiście zawsze Wam powtarzam, że jeśli nie jesteście do końca pewni, że chcecie szyć, lepiej jest pójść najpierw na kurs albo na przykład na prywatne lekcje do krawcowej, którą w swoim mieście na pewno znajdziecie, a dopiero później zdecydować, czy to aby na pewno jest to, co chcielibyście robić. Jeśli jednak już się zdecydowaliście, to macie szerokie pole do popisu, bo szkół oferujących kierunek projektowanie ubioru jest teraz coraz więcej. Internet to ogromna baza informacji. Oprócz szkół policealnych typu AP Edukacja czy ROE wybrałam dla Was następujące propozycje.

Warszawa

Międzynarodowa Szkoła Kostiumografii i projektowania ubioru w Warszawie
http://www.mskpu.com.pl

Warszawska Akademia Sztuk Pięknych
http://wwp.asp.waw.pl

Szkoła Szycia Suchobiecka
http://szkolaszycia.pl

Studio Sztuki
http://www.studiosztuki.pl

VIAMODA Polsko-Włoska Szkoła Designu i Managementu
www.viamoda.edu.pl

Łódź

Wyższa Szkoła Sztuki i Projektowania
http://www.wssip.edu.pl

Akademia Sztuk Pięknych w Łodzi
http://ubior.asp.lodz.pl

Kraków

Szkoła Artystycznego Projektowania Ubioru (SAPU) w Krakowie
http://www.ksa.edu.pl

Akademia Mody
http://akademiamody.com

Krakowskie Szkoły Artystyczne
http://www.ksa.edu.pl

Poznań

Uniwersytet Artystyczny
http://uap.edu.pl

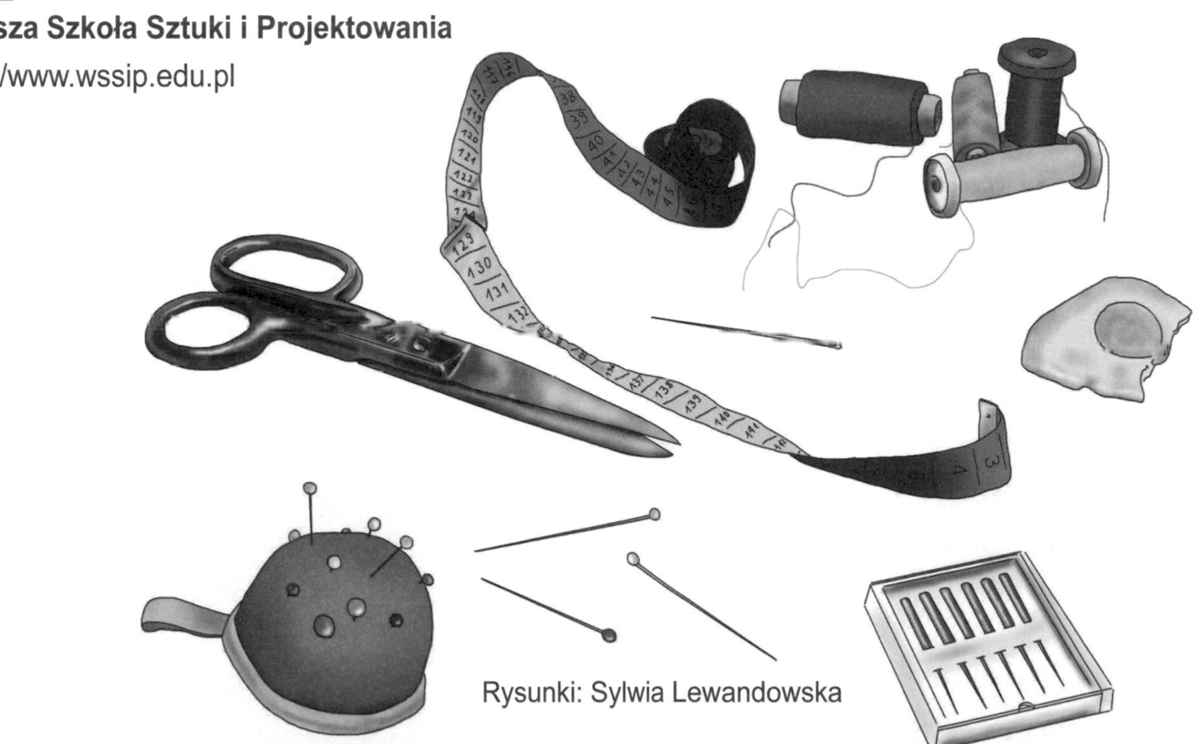

Rysunki: Sylwia Lewandowska

Fashion School

http://www.fashion-school.pl

Bielsko-Biała

Akademia Techniczno-Humanistyczna

http://www.ath.bielsko.pl

Katowice

Wzornictwo

http://www.wst.pl

Sosnowiec

Szkoła Mody

http://www.szkolamody.com

Targi

Największa impreza modowa w Polsce to oczywiście **Fashion Philosophy Fashion Week Poland** (http://fashionweek.pl) organizowana w Łodzi dwa razy do roku. Pokazy mody najnowszych kolekcji polskich projektantów, zarówno tych znanych, jak i młodych, dopiero startujących ze swoimi projektami, showroom, spotkania z dziennikarzami modowymi znanych polskich czasopism oraz ze znanymi osobami ze świata mody to niesamowite doznania. Podczas Fashion Week możecie zaczerpnąć mnóstwo inspiracji również z obserwacji osób, które się tam pojawiają, z ich stylu bycia i stylizacji. Dla tych z Was, którzy chcą związać swoją przyszłość z modą, udział w Fashion Week to *must have*, który musicie wpisać na swoją listę *to do*.

Fashion Week doczekał się również swoich odpowiedników w Warszawie i Krakowie, ale moja rada jest taka, żeby chociaż raz wybrać się na wszystkie te imprezy modowe, bo każda z nich jest inna. Poza tym obcowanie z modą nigdy się nie nudzi i cały czas dostarcza nam nowych doświadczeń i inspiracji. Więcej informacji o **Warsaw Fashion Street** znajdziecie na stronie: *http://www.warsawfashionstreet.pl)*.

Szkoła Artystycznego Projektowania Ubioru jest głównym organizatorem **Cracow Fashion Week**, podczas którego prezentowane są nie tylko kolekcje dyplomowe absolwentów, ale też najświeższe nowinki ze świata mody czy designu. Jest to największe wydarzenie związane z modą w Krakowie i Małopolsce. Jego pierwsza edycja odbyła się w 2010 roku. Więcej informacji znajdziecie na stronie *http://www.cracowfashionweek.com*.

Kolejne targi, na które warto się wybrać i od których właściwie powinnam zacząć ten spis, są już ściślej związane z szyciem niż z projektowaniem, a chodzi oczywiście o **Międzynarodowe Targi Poznańskie**, które od ponad 90 lat odbywają się w Poznaniu. Podczas targów możecie poznać producentów tkanin z całej Europy, nawiązać kontakty, zakupić tkaniny, poznać najnowsze trendy, obejrzeć pokazy kolekcji, porozmawiać ze specjalistami. To już nie tylko dawka inspiracji, ale ogromna wiedza i doświadczenie w jednym miejscu. Każdy, kto chce zajmować się szyciem, powinien chociaż raz pojechać na te targi. Więcej o nich przeczytacie na stronie *http://www.mtp.pl*.

Ostatnie miejsce, o którym chciałabym Wam wspomnieć, to **Ptak Fashion City**. To prawdziwe miasto mody, w którym znajdziecie tysiące firm reprezentujących najrozmaitsze artykuły: tkaniny, produkty pasmanteryjne, odzież i wszystkie elementy potrzebne do tworzenia, szycia i produkcji. Miejsce to zajmuje powierzchnię 250 000 m², na której organizowane są również cykliczne targi, pokazy mody, prowadzona jest wymiana handlowa pomiędzy producentami, importerami i kupcami z całego świata. Jest to również centrum eksportu polskiej odzieży na rynki światowe oraz np. studio telewizyjne Fashion TV.

Do tego grona zaliczyłabym jeszcze mniejsze targi lokalne typu: *hande made*, młodych projektantów czy rękodzieła, które organizowane są praktycznie w każdym mieście średnio raz na dwa tygodnie. W większych miastach,

takich jak Warszawa czy Wrocław, targi możecie odwiedzać nawet co tydzień. Często w tym samym dniu mamy dwa różne wydarzenia. Targi stały się bardzo popularną rozrywką i dodatkową atrakcją również w klubach i klubokawiarniach, które do swoich przestrzeni chętnie zapraszają projektantów. Odwiedzanie takich miejsc, rozmowy i zdobywanie doświadczenia to świetna inspiracja, a przede wszystkim motywacja do działania.

Magazyny

Magazyny modowe typu „Elle", „Vogue", „Twój Styl", „InStyle", „Fashion Magazine", „Harpers' Bazaar", „K Mag" czy „Avanti" to niesamowita dawka inspiracji modowych z wielkiego świata. Najnowsze kolekcje projektantów prosto z wybiegów, sesje zdjęciowe, stylizacje, gotowe zestawienia, recenzje to tylko część elementów, które mogą Was zainspirować, dlatego warto od czasu do czasu udać się chociażby do empiku i przejrzeć modowe inspiracje.

Książki

I przyszedł czas na coś, co zdecydowanie najtrudniej jest opisać w kilku zdaniach. To książki! Takich, które mogą nas zainspirować, na rynku wydawniczym jest mnóstwo i ciężko wybrać tylko kilka pozycji. Tak naprawdę każda książka — czy to będzie dokument, horror czy romans — może nas zainspirować, ale warto sięgnąć po takie tytuły, które pokazują nam historię mody, przekrój i doświadczenie. Żeby jednak nie wyjść na totalnego ignoranta, bo sama nie przepadam za czytaniem książek, postanowiłam poprosić o poradę osobę, która moim zdaniem o książkach wie wszystko. Chodzi oczywiście o Anitę, która na co dzień prowadzi vlog książkowy Book Reviews. Anita pomogła mi wybrać dla Was kilka pozycji, które warto mieć na swojej liście.

To ogromna dawka wiedzy i inspiracji:

— Boucher Francouis, *Historia mody*

— Saltari Paola, *Magia stylu. Portrety dziesięciu kobiet, które zmieniły świat mody*

— Trojanowski Krzysztof, *Moda w okupowanej Francji i jej polskie echa*

— *Moda. Historia mody od XVIII do XIX wieku* oraz *Moda. Historia mody od XX wieku* wydane przez Instytut Ubioru w Kioto.

Filmy

Zaraz za książką murem stoją filmy, których nie sposób nie obejrzeć. To właśnie kostiumy i scenografie są ogromną dawką inspiracji, które można stale wykorzystywać. Oto lista filmów, które warto zobaczyć:

Moda lat 20. — „Wielki Gatsby" (reż. Baz Luhrmann)
Moda lat 30. — „Bonnie i Clyde" (reż. Arthur Penn)
Moda lat 50. — „Grease" (reż. Randal Kleiser) oraz „Okno na podwórze" (reż. Alfred Hitchcock)
Moda lat 60. — „Śniadanie u Tiffany'ego" (reż. Blake Edwards), „Factory Girl" (reż. George Hickenlooper) oraz „Samotny mężczyzna" (reż. Tom Ford).

Moda hipisów — „Hair" (reż. Miloš Forman)
Moda lat 70. — „Annie Hall" (reż. Woody Allen), „U progu sławy" (reż. Cameron Crowe), „American Hustle" (David O. Russell)
Moda lat 80. — „Pracująca dziewczyna" (reż. Mike Nichols)
Moda przełomu lat 80. i 90. — „Pretty Woman" (reż. Garry Marshall)
Moda lat 90. — „Clueless" (polski tytuł „Słodkie zmartwienia") (reż. Amy Heckerling)
I jedyny w swoim rodzaju klasyk, a mianowicie „Seks w wielkim mieście" — ikona Carrie Bradshaw, którą osobiście uwielbiam! To oczywiście tylko kilka pozycji, które warto zobaczyć. Zachęcam Was nie tylko do oglądania i czytania, ale też do słuchania.

Muzyka

Współczesna muzyka to właściwie kumulacja tego, co już było. Nie sposób wymienić wszystkich twórców, którzy mają ogromny wpływ na modę i trendy. Do moich ulubionych wykonawców zalicza się oczywiście Beyonce. Muzyka, klipy, stylizacje to ogromne pole inspiracji, które warto oglądać, podpatrywać i z nich korzystać. Do klasyków można zaliczyć tych twórców:

Lata 60. — The Supremes, The Beatles, The Rolling Stones
Lata 70. — David Bowie
Przełom lat 70. i 80. — Debbie Harry (znana jako Blondie) czy Grace Jones
Lata 80. — Annie Lennox, Madonna, Cyndi Lauper, Tina Turner, Prince
Lata 90. — Courtney Love i Kurt Cobain, Spice Girls, Backstreet Boys, Britney Spears

Podsumowując! Na pytanie: „Gdzie szukam inspiracji?" śmiało mogę odpowiedzieć, że wszędzie. Miejcie oczy i uszy otwarte, bo nigdy nie wiadomo, kto, co i gdzie Was zainspiruje. Jedno jest jednak pewne. Trzeba być otwartym na świat i otaczających nas ludzi. I chcieć działać. Bierność zabija inspirację!

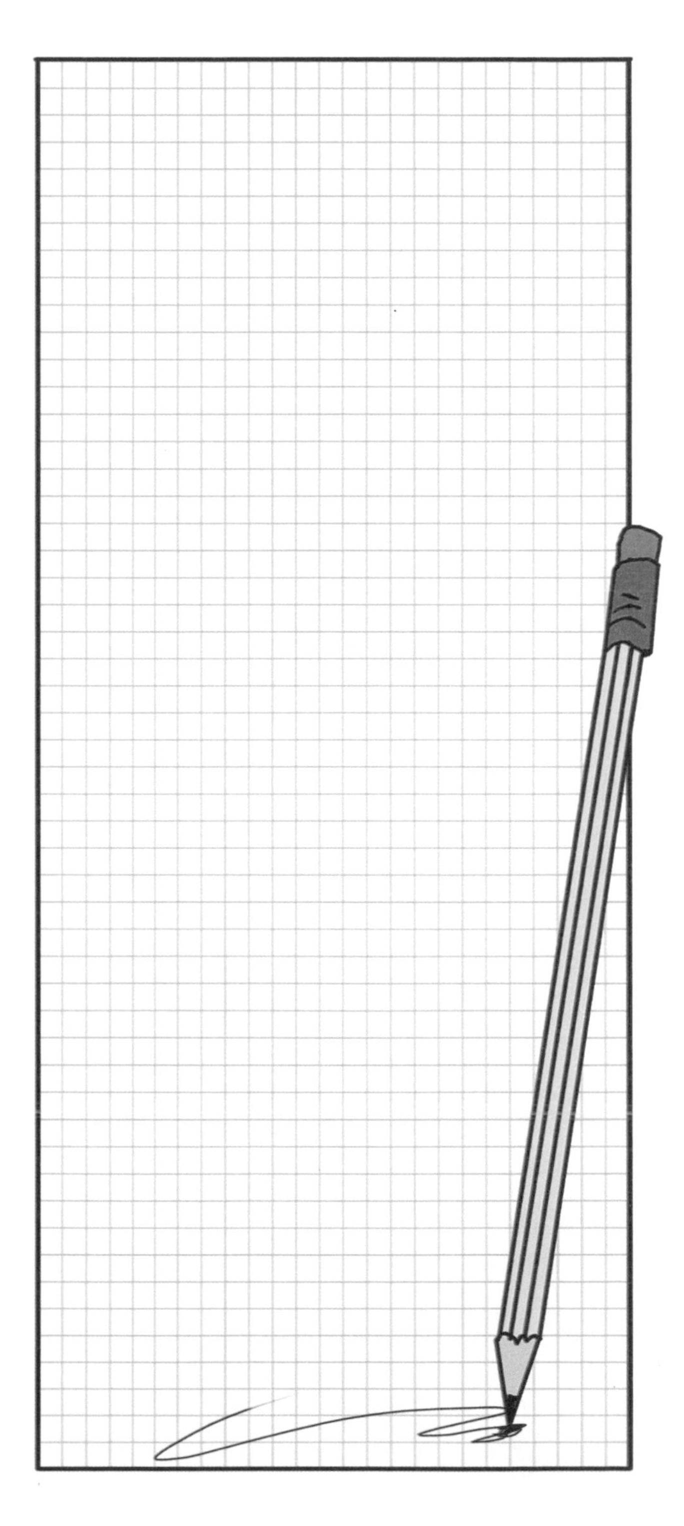

Rozdział 8.
Słowniczek

Zanim zaczniemy przygodę z szyciem, warto zapoznać się z podstawowymi pojęciami, którymi w tej książce będę się posługiwała. Słownik odzieżowy to nie będzie, bo takie już są i są to osobne tytuły. Chciałam jedynie podać Wam kilka pojęć, które mogą się przydać zwłaszcza osobom, które do tej pory o szyciu nie wiedziały nic, a to właśnie głównie do Was skierowana jest ta książka. Tworząc mój słowniczek, wzorowałam się na pozycji Zbigniewa Parafianowicza pt. *Słownik odzieżowy*, do którego warto zajrzeć. To jest tylko taka moja mała pigułka szyciowa. Zaczynamy!

Dodatki krawieckie — materiały pomocnicze stosowane przy szyciu odzieży.
Dodatek konstrukcyjny — inaczej luz odzieżowy. Jest to różnica między długością odcinka konstrukcyjnego a wymiarem antropometrycznym.
Dodatek na szew — występuje w miejscu łączenia krawędzi bocznych.
Dodatek na podwinięcie — pojawia się głównie na dole wyrobu odzieżowego, wykorzystywany jest na wykończenie produktu.
Dziurka — otwór w wyrobie odzieżowym, służący do zapinania poszczególnych części garderoby.

E

Element wyrobu odzieżowego — część gotowego wyrobu, np. przód, tył, rękaw.

Fastryga — szycie ręczne, które pozwala na połączenie krawędzi wyrobu i przygotowanie go do szycia maszynowego. Dzięki fastrydze mamy pewność, że krawędzie nam się nie przesuną. Po skończonym szyciu fastryga jest usuwana.
Forma konstrukcyjna — uproszczony kształt poszczególnej części wyrobu, np. bluzki, spodni.
Forma modelowa — powstaje poprzez modelowanie formy konstrukcyjnej.
Forma odzieżowa — kształt zewnętrzny wyrobu odzieżowego.

I

Igła — może być stosowana w szyciu ręcznym lub maszynowym. Bez igły szycie nie będzie możliwe. Wyróżnia się wiele rodzajów igieł, które zostały opisane w rozdziale 4.

Kieszeniówka — rodzaj podszewki, z której wykonujemy worek kieszeniowy.

Kieszeń — zazwyczaj służy jako element ozdobny, ale może też służyć jako miejsce do przechowywania rzeczy. Pojawia się nie tylko na zewnątrz poszczególnych części garderoby, ale i od ich strony wewnętrznej.
Konstrukcja odzieży — metoda przenoszenia wymiarów antropometrycznych na siatkę i formę konstrukcyjną.
Kolekcja — kilka wyrobów odzieżowych prezentowanych na modelkach.
Krój — inaczej fason odzieżowy, czyli to, czym wyróżnia się dana rzecz, np. spodnie, sukienka, bluza. Każdy wyrób odzieżowy ma swój fason.

Lamówka — wykorzystywana jest do obszywania i wykańczania brzegów odzieży lub krawędzi wewnętrznych czy zewnętrznych wyrobu, np. do wykończenia dekoltu.
Listewka — służy do obszywania brzegów gotowych szwów.
Luz odzieżowy — dodatek konstrukcyjny.

Materiał odzieżowy — najczęściej są to tkaniny i dzianiny, czyli tworzywa do produkcji odzieży.
Mankiet — przedłużenie wyrobu odzieżowego najczęściej jako element wykańczający doły.
Manekin krawiecki — nie jest idealnym odwzorowaniem ludzkich wymiarów, służy bardziej do modelowania lub mierzenia odzieży w trakcie szycia.
Mydło krawieckie — służy przede wszystkim do zaznaczania linii na tkaninie, łatwo się je usuwa z tkaniny.

Nap — rodzaj metalowego lub plastikowego zatrzasku, którego nie trzeba przyszywać do odzieży. Mocowany jest za pomocą specjalnego urządzenia.
Nici — podstawowy wyrób włókienniczy, bez którego szycie nie byłoby możliwe.

W zależności od rodzaju nici ich zastosowanie może się różnić. Fastryga, szycie ręczne czy szycie maszynowe wymaga odpowiednich nici. Nici mają różne grubości, które pozwalają na lepsze dopasowanie ich do szycia poszczególnych wyrobów odzieżowych. Numery wysokie oznaczają, że nici są cienkie i służą do szycia materiałów cienkich. Numery niskie oznaczają nici grube wykorzystywane do szycia materiałów grubych.
Nożyce — narzędzie do cięcia materiałów.

Odzież — podstawowe elementy, które składają się na ubiór każdego człowieka.

Obsadzenie — element wykończeniowy, którego nie zobaczymy po zewnętrznej stronie wyrobu. Najczęściej możemy się spotkać z obsadzeniem w płaszczu.
Obłożenie — element wykończeniowy zazwyczaj stosowany w klapach marynarek.
Odszycie — element wykończeniowy, który możemy zastosować na przykład przy dekolcie lub otworze na pachę.

Pacha — otwór na ramię, czyli miejsce połączenia rękawa z resztą górnego wyrobu odzieżowego.
Pasek — element dolnego wyrobu odzieżowego, który po przyszyciu jest częścią gotowego wyrobu. Może służyć do podtrzymywania wyrobu, jako ozdoba, a także jako forma dopasowania wyrobu w talii.
Plisa — często mylona jest z pliską. Plisa to element wykończeniowy np. w koszuli. Na plisę naszywane są guziki. Plisą nazywamy też zaprasowaną fałdę w spódnicy plisowanej.
Pliska — element materiału, którym możemy wykończyć na przykład dekolt. Pliska musi być wycinana zawsze po skosie.
Podszewka — stosowana jest do wykańczania wyrobu odzieżowego od wewnątrz. Może to być tkanina lub dzianina. Najbardziej znane tkaniny na podszewki to poliester, wiskoza, bawełna i mieszane. W zależności od miejsca zastosowania podszewka może mieć różne nazwy (kolanówka na kolanach, np. w męskich spodniach, rękawówka w rękawach oraz kieszeniówka jako worek kieszeniowy).
Podtrzymywacz — to nic innego jak tzw. szlufki przy pasku np. w spodniach.
Podszywanie — podszycie ściegiem krytym dołu wyrobu odzieżowego.
Przód — podstawowy element wyrobu odzieżowego, z którego powstają górne części garderoby.

Rękaw — podstawowy element montażowy, przyszywany do górnych części garderoby.
Rygielek — stosowany jest do wzmocnienia delikatnych elementów np. w kieszeniach, podtrzymywaczach itp.

Szablon odzieżowy — wzór wyrobu odzieżowego (najczęściej z papieru) wykonany w skali 1:1.
Szew — łączenie dwóch krawędzi, dwóch części wyrobu odzieżowego.
Stebnowanie — szycie po zewnętrznej części odzieży, np. naszywanie kieszonki.
Stopniowanie — zmiana szablonu do odpowiednich rozmiarów (albo mniejszych, albo większych). Na przykład mamy szablon w rozmiarze wyjściowym 36 i robimy stopniowanie do rozmiaru 40 lub 32.

Szycie — zszywanie krawędzi gotowych wykrojów za pomocą ściegów.

Ściągacz — służy głównie do ściągania elementów odzieży, np. rękawów, żeby lepiej się układały i były bardziej dopasowane do ręki.

Ścieg — może być maszynowy lub ręczny. Jest to układ nitek, dzięki któremu łączymy poszczególne krawędzie wyrobu odzieżowego.

U

Ubiór — wszystkie elementy, które składają się na odzież, w tym również dodatki, akcesoria, ozdoby.

Układ szablonów — określa zużycie materiałów, a w skrócie oznacza, w jaki sposób rozmieścimy poszczególne elementy wykroju na tkaninie. Na przykład sukienka w jednolitym kolorze będzie miała inny układ niż sukienka w kwiaty.

Wdawanie — polega na połączeniu dwóch krawędzi o różnych długościach. Efekt końcowy ma dać oczywiście jednakową krawędź, w której ta dłuższa dopasuje się do krótszej. Wdawanie stosowane jest na przykład przy wszywaniu pliski czy ściągaczy. Krawędź krótszą naciągamy, a dłuższą wdajemy, tak żeby na końcu połączyły się w jedną całość.

Wkład klejowy — stosowany jest do obróbki i wzmacniania różnych części garderoby. To materiał wzmocniony środkiem termoklejącym.

Worek kieszeniowy — wewnętrzna część kieszeni.

Wyrób odzieżowy — końcowy efekt szycia, czyli gotowy produkt.

Wymiar antropometryczny — pomiary, które idealnie odwzorowują ludzką sylwetkę.

Zamek błyskawiczny — standardowy zamek wykorzystywany do zapinania odzieży. Składa się z dwóch taśm i metalowych ząbków pośrodku.

Zaszewka — służy do dopasowania odzieży na linii piersi lub linii brzucha.

Zatrzask — wyrób galanteryjny używany najczęściej w odzieży wierzchniej, służy do jej zapinania.

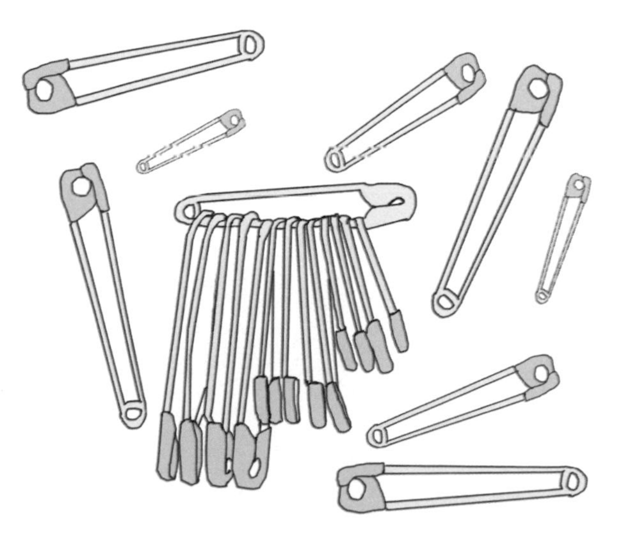

Zakończenie

No i jest! Koniec! Nie wiem, czy się cieszyć, czy smucić, ale naprawdę nie sądziłam, że dobrnę do tego momentu. Pisanie książki to nie lada wyzwanie, ale mam nadzieję, że udało mi się chociaż częściowo mu sprostać. Jeśli czytacie teraz te słowa, to znak, że i Wy również dobrnęliście do zakończenia. Śmiało możecie już powiedzieć, czy książka Wam się podobała, czy w czymś pomogła, jakie są Wasze odczucia. Właśnie w tym miejscu chciałabym podziękować Wam wszystkim, a zwłaszcza moim widzom, którzy zmotywowali mnie do napisania tej książki. Jednak nie byłoby jej, gdyby nie osoby, bez których nie trzymalibyście tej książki w dłoni, bez których sama nie dałabym rady. To właśnie **Wydawnictwo Helion** i moja redaktor prowadząca **Ewelina Burska** sprawili, że moje marzenie — będące nie lada wyzwaniem, a właściwie szaleństwem i pewnego rodzaju ryzykiem — ujrzało światło dzienne, za co jestem przeogromnie wdzięczna. I nie ma słów, które mogłyby opisać to, co czuję.
Po prostu **DZIĘKUJĘ!**

Ale to nie koniec! Nie wiem, czy uda mi się wymienić wszystkich, którzy wzięli udział w powstaniu tej książki, ale wierzcie mi, że proces jej powstawania to długa, czasochłonna praca wielu osób. Ilustracje do poszczególnych rozdziałów książki to przede wszystkim zasługa **Mateusza Sudy**. W środku znajdziecie też rysunki **Sylwii Lewandowskiej**, mojej widzki, która niezmiernie mnie wspierała w tworzeniu tego dzieła, za co bardzo dziękuję! Najbardziej jednak chciałabym podziękować Magdalenie Kwiatkowskiej, którą znacie jako **Meri Wild**.
To właśnie Ona odpowiedzialna jest za cały skład książki, za to, jak finalnie wygląda całość. Brakuje mi w tej chwili słów, żeby oddać to, co czuję i jak jestem Meri wdzięczna, bo oddała mój cały charakter i zamknęła go w tej książce. Chyba nie zdołam jej się nigdy odwdzięczyć! To jest dopiero zdolna bestia, co?

Moja książka to nie tylko suchy tekst. To również ilustracje, grafiki oraz zdjęcia, które wykonała fotografka **Linda Parys**. Kochana, dziękuję Ci za te zdjęcia i za znoszenie mojego marudzenia podczas sesji w rodzaju: „jestem za gruba”, „mam nieodpowiednią minę” itp. Dziękuję **Kasi Kuźnik** z Loft Fashion za świetne fryzury, **Romie Szafarek** z Makijaż Od Kuchni i **Agnieszce Jarosz** z Fu-Ku Concept Store za pomoc. Zdjęcia wyszły super. Jesteście świetnym teamem, którego życzę każdemu, kto tak jak ja staje przed wielkim modowym, kreatywnym wyzwaniem.

W tym miejscu muszę podziękować mojej Pani **Beatce Pływaczyk** za wsparcie merytoryczne, pomoc przy konstrukcji książki oraz czuwanie, abym nie popełniła żadnej gafy. Dziękuję za dobre słowo, Pani Beatko, i za ogromną pomoc! Nigdy tego nie zapomnę!

Grzesiu! Nie myśl, że zapomniałam o Tobie! Kochani, wszystkie filmy — zarówno te na moim kanale „Co za szycie" na YouTube, jak i te w mojej książce — nakręcił i zmontował niezastąpiony **Grzegorz Pawłowski**! Dziękuję Ci, Grzesiu, za poświęcenie, zaangażowanie i ciężką pracę. Efekt jest jak zwykle świetny, ale to już wiesz. A Wy, mam nadzieję, podpisujecie się pod tym oświadczeniem razem ze mną!

Dziękuję również za ogromne wsparcie i pomoc w realizacji marzeń firmie **Eti Radość Szycia**, będącej wyłącznym dystrybutorem marki **Janome** w Polsce — dzięki której zaczęłam naprawdę szyć i dzielić się swoją pasją z Wami.

Chciałabym również podziękować mojej przyjaciółce Magdalenie Kanoniak vel **Radzkiej** za wsparcie, pomoc, doświadczenie, rady i dobre słowo. Twoje wskazówki były bezcenne! Przetarłaś szlaki i to dzięki Tobie udało mi się szybciej zrealizować moje marzenie! Dziękuję! Nigdy się nie zmieniaj!

Na koniec chcę podziękować mojej rodzinie przede wszystkim za ogromne wsparcie i doping, a najbardziej dwóm mężczyznom mojego życia — **mężowi Łukaszowi i synowi Tymoteuszowi**. Oni wiedzą najlepiej, ile czasu i wyrzeczeń kosztowało mnie napisanie tej książki. Tymek jest jeszcze zbyt mały, więc pewnie przeczyta ją dopiero za kilka lat, ale chcę, żeby już teraz wiedział, że spełniło się marzenie jego mamy, która dzięki temu jest szczęśliwa i która, pisząc to, ma łzy w oczach, a gdy zobaczy wydrukowaną książkę, pewnie będzie ryczeć ze szczęścia. Dziękuję Wam za wyrozumiałość, pomoc i przeogromne wsparcie. Kocham Was!

No i to by było tyle! Żal się żegnać, ale mam nadzieję, że będziecie często wracać do lektury mojej książki i że razem uszyjemy jeszcze wiele modnych ubrań! Połamania igieł!

Bibliografia

1. Amaden-Crawford Connie, *Proste i modne szycie*, Wydawnictwo Liber, Warszawa 2011.

2. Baugh Gail, *Encyklopedia materiałów odzieżowych*, Wydawnictwo Arkady, Warszawa 2012.

3. Parafianowicz Zbigniew, *Słownik odzieżowy*, Wydawnictwa Szkolne i Pedagogiczne, Warszawa 1995.

4. Sanek Paulina, *Krawiectwo. Technologia*, WSiP, Warszawa 1999.

5. Stark Elżbieta, Lipke-Skrawek Zofia, *Techniki szycia odzieży*, wydanie II, SOP Oświatowiec, Toruń.

6. Stark Elżbieta, Tymolewska Barbara, *Modelowanie form odzieży damskiej*, SOP Oświatowiec, Toruń 2009.

Szczególne podziękowania kieruję do partnerów książki:

radość szycia

JANOME